DU MÊME AUTEUR

LES PROPOS SUR LA PEINTURE DU MOINE CITROUILLE-AMÈRE : traduction et commentaire du traité de Shitao * (IBHEC, Bruxelles, 1970; Hermann, Paris, 1984, 2000)

LA VIE ET L'ŒUVRE DE SU RENSHAN, REBELLE, PEINTRE ET FOU * (UER Asie Orientale, Université Paris-VII, 1970)

LES HABITS NEUFS DU PRÉSIDENT MAO (Champ libre, Paris, 1971; Gérard Lebovici, 1987; LGF, 1989)

OMBRES CHINOISES (UGE 10/18, Laffont, Paris, 1976, 1978)

IMAGES BRISÉES (Laffont, Paris, 1976)

LA FORÊT EN FEU (Hermann, 1983, 1988)

ORWELL OU L'HORREUR DE LA POLITIQUE (Hermann, 1984)

LA MORT DE NAPOLÉON (Hermann, 1997)

L'HUMEUR, L'HONNEUR, L'HORREUR (Laffont, 1991)

L'ANGE ET LE CACHALOT (Seuil, Paris, 1998)

ESSAIS SUR LA CHINE (« Bouquins », Laffont, 1998)

Traductions

SHEN FU, SIX RÉCITS AU FIL INCONSTANT DES JOURS * (Larcier, 1966; Christian Bourgois, 1982)

KOUO MO-JO, AUTOBIOGRAPHIE — MES ANNÉES D'ENFANCE * (Gallimard, 1970)

LU XUN, LA MAUVAISE HERBE * (UGE 10/18, 1975)

CONFUCIUS, ENTRETIENS * (Gallimard, 1987)

JAO TSONG-YI, PEINTURES MONOCHROMES DE DUNHUANG * (École française d'Extrême-Orient, 1978)

CHEN JO-HSI, LE PRÉFET YIN (Denoël, Paris, 1980)

RICHARD HENRY DANA, DEUX ANNÉES SUR LE GAILLARD D'AVANT (Laffont; Petite Bibliothèque Payot, 1995)

THE ANALECTS OF CONFUCIUS (Norton, New York, 1997)

* Ouvrage publié sous le nom de Pierre Ryckmans.

PROTÉE ET AUTRES ESSAIS

SIMON LEYS

PROTÉE
ET
AUTRES ESSAIS

GALLIMARD

Avertissement

Qu'on n'aille pas chercher le fil conducteur dans les essais qui suivent : l'accident de leur naissance a simplement répondu aux invitations diverses que propose le hasard des jours, et il serait oiseux de rapporter ici le détail de leur genèse.

Et d'ailleurs, comme ce recueil est placé sous l'invocation de Protée, est-il vraiment nécessaire d'en justifier le disparate ?

S. L.
Canberra,
mars 2001

I

OUVERTURES

D'autres auraient pu en faire un livre...

André Gide,
La porte étroite
(première phrase)

Il y a quelques années, comme je bouquinais dans une librairie, je tombai sur un roman de Chesterton dont je connaissais le titre, mais que je n'avais jamais eu entre les mains, *Le Napoléon de Notting Hill*. Poussé par la curiosité, je l'ouvris à la première page et lus le commencement de la première phrase du chapitre I : « L'espèce humaine à laquelle appartiennent tant de mes lecteurs... »

J'achetai aussitôt le livre et m'empressai de quitter la boutique : le spectacle d'un vieux monsieur qui s'esclaffe tout seul dans un lieu public a toujours quelque chose d'un peu déconcertant, et je ne tenais pas à déranger les autres clients.

Je ne puis pas dire que le reste du livre ait vraiment réussi à tenir la promesse de ce glorieux début (mais quel roman pourrait se maintenir sur deux cents pages au diapason d'une telle attaque ?). Néanmoins, *Le Napoléon de Notting Hill* demeure une invention délicieuse, et contient bon nombre de perles de sagesse (« Tout comme un méchant homme est malgré tout un homme, un méchant poète est malgré tout un poète ») ; il présente aussi d'éclairantes observations sur la nature essentiellement démocratique du système monarchique (en fait, le plus démocratique de tous les systèmes, à condition que, chaque année, on tire au sort un nouveau roi) — notion que tous les républicains pourraient méditer avec profit.

Cependant, la leçon la plus durable que je tirai de ma petite expérience dans la librairie fut cette découverte que, parfois, quand la première phrase d'un livre est vraiment inspirée, elle peut à l'instant même vous obliger à acheter l'ouvrage en question. Naturellement, des écrivains astucieux ont eu tôt fait de saisir tout l'avantage qu'il y aurait pour eux à déclencher ce genre de besoin irrépressible chez leurs lecteurs potentiels, et ils ont appris à manipuler leurs commencements un peu comme un pêcheur au lancer aguiche une truite avec sa mouche. Voyez par exemple comment Anthony Burgess fait démarrer son *Earthly Powers* : « C'était l'après-midi de mon quatre-vingt-unième anniversaire, et j'étais au lit avec mon giton, quant Ali annonça que l'archevêque était là et voulait me voir. »

En l'occurrence, le pêcheur marqua une touche — car j'achetai le livre — mais il ne réussit pas à amener le poisson sur la berge (du moins en ce qui me concerne), puisque ce massif volume continue depuis dix-neuf ans à s'empoussiérer majestueusement sur les rayons de ma bibliothèque : je ne l'ai toujours pas lu. Je me demande d'ailleurs si, dans sa roublardise même, cette phrase initiale du roman de Burgess n'est pas à la vraie littérature ce qu'une mouche artificielle est à un insecte authentique : juste un peu trop brillante et, en fin de compte, irrémédiablement indigeste. Ici, la recherche de l'effet aboutit à un résultat qui rappelle de manière fâcheuse ces premières phrases sélectionnées chaque année par le prix

Bulwer-Lytton [1]. La compétition en question fut nommée en l'honneur de l'auteur, jadis célèbre, des *Derniers jours de Pompéi*, et plus particulièrement notoire pour le début d'un autre de ses romans, *Paul Clifford* : « C'était durant une nuit sombre et tempétueuse... » — comme tout le monde sait, cette attaque fameuse a été ressuscitée à notre époque par les tentatives littéraires du chien Snoopy dans la bande dessinée *Peanuts* : de temps à autre, Snoopy, juché avec sa machine à écrire sur le toit de sa niche, entreprend d'écrire son grand roman, lequel commence invariablement par ces mots, et puis s'arrête là. Cette compétition décerne chaque fois son prix au pince-sans-rire qui aura réussi à concocter la plus mauvaise phrase de roman. Voici par exemple un échantillon primé :

« Stanislas Smedley, un homme toujours à l'extrême pointe du narcissisme, s'apprêtait à livrer son corps et son âme à un chirurgien véreux, pour que celui-ci lui permette de devenir la femme qu'il aimait. »

Pour son *Earthly Powers*, Burgess avait fabriqué un commencement qui était assurément frappant; le seul problème est qu'il sentait la fabrication — et c'est probablement la raison pour laquelle il ne réussit pas à susciter chez le lecteur (à tout le moins en ce qui me concerne) un vrai besoin de poursuivre sa lecture. Un danger fréquent chez les écrivains de talent est que, dans leur désir d'impressionner le public, ils en viennent à ruiner leurs efforts les plus ambitieux. Dans notre monde contemporain, cette tentation de jeter de la poudre aux yeux, à laquelle cèdent tant d'artistes, reflète la domination exercée par l'industrie publicitaire sur presque tous les aspects de la culture.

Hemingway fut un des premiers et des plus influents représentants de cette esthétique, qui se manifeste constamment

1. Le prix Bulwer-Lytton est un prix américain et fait périodiquement l'objet d'amusantes petites anthologies.

dans ses maniérismes stylistiques. Voyez par exemple le début de sa nouvelle *In Another Country* : « Au début de l'automne, la guerre était toujours là, mais nous n'y allions plus. » C'est spirituel, bien sûr — mais on aurait préféré que l'auteur eût mieux caché son astuce.

Chez certains écrivains, ce fatal besoin de faire étalage de leur talent supérieur trahit un instinct de compétition — le désir d'éclipser tous les rivaux potentiels ; ceci entache leurs œuvres d'une irrémédiable vulgarité, et tue leur art.

Il y a déjà un demi-siècle, Arthur Koestler diagnostiqua ce mal dans une interview qu'il avait accordée au *New York Times*, peu après son installation aux États-Unis (l'installation s'avéra d'ailleurs de courte durée, et l'interview fut en grande partie censurée). Ses observations étaient tellement pertinentes qu'elles méritent d'être citées au long :

« Plus je vis ici, plus j'ai le sentiment que la vie littéraire américaine est radicalement viciée. [...]. Si l'on me demandait ce que devrait être l'ultime ambition d'un écrivain, je répondrais avec une formule : l'ambition d'un écrivain devrait être d'échanger cent lecteurs d'aujourd'hui contre dix lecteurs dans dix ans, et contre un lecteur dans cent ans. Mais l'atmosphère générale de ce pays oriente l'ambition de l'écrivain dans une autre direction [...], vers le succès immédiat. La religion et l'art sont deux domaines totalement non compétitifs de l'activité humaine, et ils découlent l'un et l'autre de la même source. Mais le climat social de ce pays a transformé la création artistique en une entreprise essentiellement compétitive. Sur les listes de best-sellers — cette malédiction de la vie littéraire américaine —, les auteurs sont cotés comme des actions en Bourse. Pouvez-vous concevoir toute l'horreur de cette situation ? Et pouvez-vous sonder la profondeur de grotesque dans laquelle sombre un Hemingway — le plus grand romancier américain vivant — lorsqu'il parle de ses livres comme d'un moyen de "défendre son titre de champion" ? Il voulait seulement plaisanter, je le sais bien — n'empêche, la plaisanterie n'est pas drôle ; et surtout, elle est révélatrice : elle trahit cette conviction profonde que la littérature serait affaire de compétition, tout comme un championnat de boxe professionnelle. »

Ce qui, en 1950, paraissait à un écrivain européen comme un trait bizarre et barbare des mœurs américaines est maintenant devenu une pratique courante de la vie littéraire internationale. Aujourd'hui, la description de Koestler pourrait aussi bien s'appliquer à Paris ou à Londres, à Munich ou à Milan.

Ne vous méprenez pas, toutefois ; en principe, je n'ai aucune objection contre des premières lignes qui suscitent une excitation immédiate, qui frappent le lecteur et qui enlèvent d'assaut son imagination. Une attaque efficace est d'abord et avant tout une attaque *inspirée*. Et l'inspiration se présente toujours sous son aspect le plus libre et le plus enchanteur quand l'écrivain est au seuil d'une création neuve. Victor Hugo, qui était un créateur irrépressible, a noté dans ses carnets des dizaines d'étincelantes amorces pour des romans qu'il n'écrivit jamais (ni probablement n'eut jamais l'intention sérieuse d'écrire) : il y jouissait simplement d'un flirt avec l'inspiration — s'abandonnant aux délices des commencements dont il appréciait aussi toute la difficulté : « Le dernier volume est plus facile à écrire que la première ligne [1]. »

En littérature, les attaques inspirées font penser à des ouvertures d'opéra ; et d'ailleurs elles remplissent une fonction similaire. Avant de lever du rideau, l'introduction orchestrale augmente chez les spectateurs l'intensité de l'attente — elle est une promesse de fabuleuses découvertes, d'étranges merveilles à venir. Le premier paragraphe de *Moby Dick* fournit — sur un *allegro con brio* à couper le souffle — un bon équivalent littéraire de cette fiévreuse anticipation qui s'empare du public à l'audition d'une grande ouverture dramatique :

---

1. Victor Hugo : *Œuvres complètes, Océan*, « Bouquins », Laffont, Paris, 1989, p. 170.

« Je m'appelle Ishmael. Mettons. Il y a quelques années, sans préciser davantage, n'ayant plus d'argent, ou presque, et rien de particulier à faire à terre, l'envie me prit de naviguer encore un peu et de revoir le monde de l'eau. C'est ma façon à moi de chasser le cafard et de me purger le sang. Quand je me sens des plis amers autour de la bouche, quand mon âme est un bruineux et dégoulinant novembre, quand je me surprends arrêté devant une boutique de pompes funèbres ou suivant chaque enterrement que je rencontre, et surtout lorsque mon cafard prend tellement le dessus que je dois me tenir à quatre pour ne pas, délibérément, descendre dans la rue pour envoyer dinguer les chapeaux des gens, je comprends alors qu'il est grand temps de prendre le large... »

C'est comme si, d'entrée de jeu, Melville vous avait brusquement empoigné par le revers de votre veste ; et il ne relâche pas un instant sa prise jusqu'à ce que, quelque six cents pages plus loin — des pages turbulentes et étourdissantes —, il vous laisse enfin : à ce moment-là, après le dénouement du drame, il y a un soudain changement de rythme ; la voix du narrateur s'enfle en un solennel *largo maestoso*, puis se fond dans le silence. Le navire d'Ishmael s'est englouti corps et biens, Ishmael est le seul survivant, le cercueil de son camarade Queequeg devient la bouée qui lui permet de surnager, jusqu'à ce qu'un autre navire, à la recherche de quelques-uns de ses propres matelots perdus en mer, vienne enfin le sauver :

« Le grand linceul de la mer roulait comme il avait roulé depuis cinq mille ans... Soutenu par ce cercueil pendant un jour et une nuit entière, je flottai sur l'océan qui faisait entendre son doux grondement comme un chant funèbre. Les requins, paisibles, glissaient à mes côtés avec des gueules verrouillées ; les sauvages faucons de mer planaient au-dessus de moi avec leur bec au fourreau. Le second jour, une voile se dressa, s'approcha et me repêcha enfin. C'était l'errante *Rachel*. Retournant en arrière pour chercher toujours ses enfants perdus, elle ne recueillit qu'un autre orphelin. »

16

Des cercueils avaient été évoqués à la toute première page, et maintenant voici qu'à la dernière, un cercueil remonte à la surface : ainsi, la fin se trouve reliée au commencement par un fil invisible qui traverse l'immensité océanique du récit. Mais il est trop tôt pour soulever la question des finales — j'y reviendrai (comme il convient) en terminant.

L'attaque en coup de trompette est un trait fréquent des essais politiques. Jean-Jacques Rousseau en a fait un usage exemplaire pour son *Contrat social* : « L'homme est né libre et partout il est dans les fers. »

Près d'un siècle plus tard, Karl Marx a imprimé un élan semblable aux premiers mots de son *Manifeste* : « Un spectre hante l'Europe, le spectre du communisme. » On a célébré l'an dernier le cent cinquantième anniversaire de ce texte — bonne occasion pour faire réflexion sur ce qu'il en reste aujourd'hui. La faillite et les crimes des États qui s'intitulaient « communistes » ont donné mauvaise réputation au marxisme — ce qui, après tout, est peut-être une injustice : car où donc le marxisme fut-il vraiment mis en œuvre ? Je n'ai aucune compétence pour prédire si cette idéologie a encore un quelconque avenir politique ; une chose cependant paraît certaine : tout ce qui est bien écrit a une chance de durer — sur cette seule base *littéraire*, l'avenir du *Manifeste* de Marx paraît assuré.

Les écrits politiques de Rousseau ont annoncé la Révolution ; mais dans le domaine psychologique, l'influence de son génie ne fut pas moins décisive : ses *Confessions* ont ouvert les vannes à toutes les effusions romantiques. D'emblée, la première phrase de son autobiographie offre un capiteux cocktail de naïveté et d'audace :

« Je forme une entreprise qui n'eut jamais d'exemple et dont l'exécution n'aura point d'imitateur. Je veux montrer à mes semblables un homme dans toute la vérité de la nature ; et cet homme, ce sera moi. »

Un demi-siècle plus tard, toutefois, Stendhal vient dégonfler de sa pointe désinvolte et ironique toute cette emphase rousseauiste. Dans leur sèche élégance, les premiers mots des *Mémoires d'un touriste* proposent un antidote efficace à l'autocomplaisance de Jean-Jacques : « Ce n'est pas par égotisme que je dis "je" ; c'est qu'il n'y a pas d'autre moyen de raconter vite. »

Mais les auteurs d'autobiographies sont souvent accusés d'égocentrisme ; dans *L'étoile polaire*, Alexandre Herzen trouva une parade définitive à ces attaques :

« Qui a le droit d'écrire ses souvenirs ?
« Tout le monde.
« Car personne n'est obligé de les lire. »

Il y a des débuts de romans qui sont quasiment passés en proverbes. Songez par exemple aux premiers mots de *A Tale of Two Cities*, de Dickens : « C'était le meilleur des âges, c'était le pire des âges. »

Et je pense que même ceux qui n'ont jamais lu *Anna Karénine* en reconnaîtraient la première phrase : « Les familles heureuses se ressemblent toutes ; les familles malheureuses sont malheureuses chacune à sa façon. »

Parfois, de plus humbles écrivains peuvent, eux aussi, avoir un trait de génie. Les premiers mots de *The Go-Between* sont dans toutes les mémoires, et même dans la mémoire des gens qui n'ont jamais entendu le nom de L. P. Hartley : « Le passé est un pays étranger ; les gens y font les choses de façon différente. »

En revanche, il y a des chefs-d'œuvre monumentaux qui débutent de la manière la plus discrète, et c'est seulement d'un point de vue rétrospectif que ces commencements chuchotés à voix basse ont fini par s'amplifier d'échos sans fin. Quand Proust écrivit : « Longtemps je me suis couché de bonne heure... », ses premiers lecteurs n'avaient guère pu prévoir où un propos aussi insidieusement quelconque allait pouvoir les entraîner. Quatre mille pages plus loin, toutefois, ils se sont retrouvés dans la situation d'un nageur qui, s'étant glissé avec insouciance dans les eaux d'une rivière paresseuse, a été bientôt saisi par un courant invisible, qui finit par l'emporter au beau milieu de l'océan. Si, maintenant, nous nous récitons ce modeste bout de phrase comme une sorte de mot de passe magique, c'est que nous savons déjà à quelles délices il va nous donner accès ; mais il ne faut pas oublier qu'à l'époque, ces premiers mots ne réussirent pas à faire impression sur les plus prestigieux connaisseurs : sur l'avis de Jean Schlumberger — ratifié par André Gide —, le manuscrit fut rejeté par les éditeurs, et Proust en fut réduit à publier son premier volume à compte d'auteur.

Dans les fables philosophiques, cependant, c'est une tactique plus traditionnelle qui demeure de règle ; en général, il s'agit d'intriguer le lecteur, de provoquer sa curiosité en capturant d'emblée son imagination. Par exemple, dans *La métamorphose*, Kafka nous prend dans son piège implacable dès les premiers mots : « Quand Grégoire Samsa s'éveilla un matin après des rêves agités, il se trouva transformé dans son lit en un gigantesque cancrelat. »

Dans une veine plus légère, il y a des contes de fées pour grandes personnes qui suivent avec succès cette même méthode. Quand vous lisez la première phrase d'un conte de Marcel Aymé, vous réagissez comme un enfant : il vous faut aussitôt découvrir ce qui va se passer ensuite. Voyez comment débute *Le nain* : « Dans sa trente-cinquième année, le nain du cirque Barnaboum se mit à grandir. »

Certains écrivains trouvent l'étincelle initiale dans des mots ; d'autres, dans une image — une vision intérieure. Ces derniers sont peut-être les romanciers par excellence. Pour eux, écrire constitue souvent une activité obsessionnelle, qu'ils pratiquent dans une sorte de transe et poursuivent en aveugles, sous la dictée de leur inconscient. Écrire est la soupape de sécurité qui leur permet de conserver la raison — s'ils n'écrivaient pas, ils suffoqueraient. Graham Greene, Georges Simenon, Julien Green — si différentes qu'aient pu être leurs personnalités respectives — peuvent également bien illustrer cette étonnante espèce.

Leurs romans — et tout particulièrement les scènes initiales de leurs romans — continuent à hanter notre mémoire. Mais ce dont nous conservons un souvenir aussi vivace n'est pas fait de mots ni de phrases : c'est un impact visuel, comme celui de plans cinématographiques, ou de choses entrevues en rêve, sur l'écran de notre imagination. Une anecdote greenienne pourrait fournir un exemple de cette force d'évocation et de suggestion : Graham Greene n'était encore qu'un obscur journaliste (critique de cinéma); lors de sa première rencontre avec le producteur Alexander Korda, ce dernier lui demanda de but en blanc s'il n'avait pas quelque idée dont on pourrait tirer un scénario. Greene improvisa aussitôt le début d'un thriller : « C'est le matin tôt, sur le quai n° 1 de la gare de Paddington. Le quai est vide, à l'exception d'un homme qui attend le dernier train en provenance du pays de Galles. De dessous sa gabardine, tombent des gouttes de sang qui forment une flaque par terre. » « Oui, et puis ? », demanda aussitôt Korda, dont la curiosité était déjà piquée. « Cela prendrait trop longtemps de vous raconter tout ça maintenant », répondit Greene, qui, lui-même, n'avait pas la moindre idée de la suite du scénario. « L'histoire requiert encore une certaine mise au point. » Mais cet entretien scella son amitié avec Korda — amitié qui aboutit finalement à la réalisation du *Troisième homme*. Nous ne connaîtrons jamais la suite de l'histoire de l'inconnu qui perdait son sang dans le petit matin sur le quai de la gare de Paddington — mais son image nous reste imprimée dans la mémoire, avec toute l'intensité qui avait d'emblée frappé Korda.

Paul Valéry conçut pour son *Monsieur Teste* un préambule qui demeure gravé dans l'esprit du lecteur — même après que le corps de l'essai a fini par se dissoudre dans le brouillard de l'oubli :

> « La bêtise n'est pas mon fort. J'ai vu beaucoup d'individus ; j'ai visité quelques nations ; j'ai pris ma part d'entreprises diverses sans les aimer ; j'ai mangé presque tous les jours ; j'ai touché à des femmes. Je revois maintenant quelques centaines de visages, deux ou trois grands spectacles, et peut-être la substance de vingt livres. Je n'ai pas retenu le meilleur ni le pire de ces choses : est resté ce qui l'a pu. Cette arithmétique m'épargne de m'étonner de vieillir. »

L'hyperrationalité de son intelligence avait engendré chez Valéry des préjugés à l'encontre de l'art de la fiction. L'invention des romanciers lui paraissait déplorablement dépourvue de nécessité intellectuelle. Il caressa même l'idée de compiler une anthologie de premières lignes de romans en vogue, afin de démontrer la vulgarité niaise d'un genre littéraire dans lequel il est admis par convention qu'un livre peut commencer par une affirmation aussi vaine que : « La marquise sortit à 5 heures ». Cette phrase, reprise par André Breton, devint elle-même un raccourci symbolique de tout ce que l'on pourrait reprocher à un certain type de fiction. Mais la férocité dogmatique des attaques que le mouvement surréaliste dirigea contre les romans et les romanciers n'eut guère d'effet appréciable sur la santé de cet art qui, surtout dans le monde anglais et américain, continua à s'épanouir durant l'entre-deux-guerres. Qu'il me suffise de produire ici deux exemples d'ouvertures brillantes provenant de romans anglais des années trente — on aurait pu en citer des douzaines d'autres. Evelyn Waugh, *Vile Bodies* :

« Manifestement la traversée allait être houleuse.

« Avec une résignation tout asiatique, le père Rothschild, S. J., posa sa valise au coin du bar et monta sur le pont. C'était une petite valise en imitation de peau de crocodile. Les initiales qui y étaient gravées en petites lettres gothiques n'étaient pas celles du père Rothschild car il avait emprunté cette valise le matin même au valet de chambre de son hôtel. Elle contenait quelques sous-vêtements rudimentaires, six importants livres nouveaux en six langues, une fausse barbe et un atlas scolaire couvert d'annotations manuscrites... »

Immédiatement, nous sentons que ce livre doit contenir des ressources au moins aussi diverses et surprenantes que la valise du père Rothschild, S. J.

George Orwell, *Coming Up for Air* : « Cette idée me vint en fait le jour où je reçus mes nouvelles fausses dents. »

D'emblée, on ne saurait suggérer avec plus d'économie l'atmosphère de dépression et de désespoir dans laquelle va nous plonger le livre consacré à la dénonciation prophétique d'un monde empoisonné par les nourritures synthétiques, crétinisé par la publicité et mis au pillage par les promoteurs immobiliers.

Tchekhov a remarqué que beaucoup d'écrivains auraient avantage à couper le commencement et la fin de leurs récits : ce sont les parties qu'ils ratent le plus souvent (notez d'ailleurs qu'il ne serait pas seulement aberrant, mais tout simplement impossible de soumettre des nouvelles de Tchekhov lui-même à pareil traitement : chez lui, fins et commencements opèrent avec d'autant plus d'efficacité qu'ils sont invisibles — et c'est dans cette fusion organique que réside précisément le secret de son art).

L'amputation de tout préambule est un procédé dont la littérature du XVIIIe siècle fait un fréquent usage, produisant ainsi un effet d'une vivacité saisissante. Nous ne commençons pas vraiment la lecture du *Voyage sentimental* de Sterne

— nous sommes « jetés » dedans avec désinvolture : « Ils arrangent ces questions, dis-je, beaucoup mieux en France. »

Ce genre d'attaque abrupte communique au lecteur une capiteuse impression d'impétuosité et de jeunesse — un peu ce que l'on éprouve en sautant dans un train en marche. Nous sommes emportés avec une fantaisie et une rapidité semblables par Diderot, au départ de *Jacques le Fataliste*; il est caractéristique, par ailleurs, que, là aussi, ce soit le voyage qui fournisse la métaphore de base :

« Comment s'étaient-ils rencontrés? Par hasard, comme tout le monde. Comment s'appelaient-ils? Que vous importe? D'où venaient-ils? Du lieu le plus proche. Où allaient-ils? Est-ce que l'on sait où l'on va? Que disaient-ils? Le maître ne disait rien; et Jacques disait que son capitaine disait que tout ce qui nous arrive de bien et de mal ici-bas était écrit là-haut. »

Selon Tchekhov — comme on vient de le voir —, pour un écrivain, il est aussi difficile de réussir la fin que le commencement. En ce qui regarde les fins, toutefois, il ne serait malheureusement pas possible de présenter ici un choix d'échantillons modèles : toute la force, l'émotion et la beauté d'un *finale* mémorable dépendent de la somme totale des pages qui précèdent — sans connaître celles-ci, comment apprécier celles-là? À mon avis, la fin de *L'Éducation senti-mentale* est sublime; tous ceux qui ont lu le livre en conviendront volontiers; mais si vous ne l'avez pas lu, mon affirmation ne peut rendre qu'un son creux.

Je me limiterai donc ici à indiquer quelques types inhabituels de fins.

1) Fins à double détente : la fin véritable ne se situe pas à la dernière phrase de la dernière page du livre, mais elle prend place quelques secondes plus tard, dans l'imagination du lecteur. Cette technique opère sur le modèle d'un type de bombe particulièrement cruel, dont l'effet le plus dévasta-

teur n'est pas causé par l'impact initial, mais bien par une seconde explosion, qui survient à retardement.

Exemple : Graham Greene, *Brighton Rock*. Rose, une fille naïve et tendre, désespérément amoureuse d'un jeune gangster, reçoit pour la première fois de sa vie un présent de son brutal amant — un disque de Gramophone à cinq sous, sur lequel le garçon a enregistré ce qu'elle suppose être un message d'amour à son intention. Mais le lecteur, lui, a déjà été informé de ce que l'enregistrement effectué par le jeune voyou consiste en fait en quelques viles insultes lancées à l'adresse de l'innocente. Le gangster est tué ; Rose, désespérée, regagne son logis sordide ; il ne lui reste qu'une seule consolation : la pensée qu'elle possède encore cet enregistrement de la voix de son amant, et qu'elle va enfin pouvoir l'entendre. Et le livre s'achève sur cette phrase qui la décrit, comme elle rentre chez elle : « Elle marcha rapidement sous le pâle soleil de juin, vers une horreur pire encore. »

2) Fins alternatives : cette recette a été rendue fameuse par l'usage qu'en a fait John Fowles en conclusion de *The French Lieutenant's Woman*. L'auteur y proposait deux fins différentes, l'une heureuse, l'autre tragique — au lecteur de choisir. Cette insolente prouesse exécutée par un virtuose de la technique de narration constitue précisément le type d'artifice qui avait contribué à donner mauvaise réputation au genre romanesque. Après tout, peut-être Valéry n'avait-il pas tort quand il dénonçait l'essentielle frivolité de cet art, qui permet de concevoir plusieurs fins possibles pour un même récit, tandis que la conclusion d'un poème accompli présente toujours un caractère d'inéluctable nécessité.

3) Fins bizarres : dans le domaine si riche du roman japonais moderne, Tanizaki Junichiro occupe une position dominante, et *Les sœurs Makioka* (1948) est généralement considéré comme son chef-d'œuvre. Yukiko, la troisième des quatre sœurs, était en voie de demeurer vieille fille, quand

finalement on lui trouva un fiancé présentable. Le livre s'achève comme elle s'apprête à partir pour Tokyo, où le mariage doit avoir lieu :

« Yukiko souffrait depuis quelque temps de désordres intestinaux et avait la diarrhée cinq ou six fois par jour. Les comprimés de wakamatsu et d'arsiline qu'elle avait pris n'avaient guère d'effet, et elle souffrait toujours de la diarrhée le 26 (jour de son départ). [...] Les kimonos de mariage furent livrés le même jour. Yukiko les regarda en soupirant — si seulement ces vêtements n'étaient pas pour son mariage...

« La diarrhée de Yukiko persista toute la journée du 26, et fut un problème durant tout le voyage dans le train de Tokyo. »

4) Fins manquantes : deux grands romans qui avaient entrepris de se colleter avec les questions ultimes de la condition humaine sont demeurés inachevés — et ceci pourrait bien constituer leur conclusion la plus appropriée.

Kafka, dans son dernier chef-d'œuvre, *Le château*, raconte l'histoire d'un jeune homme qui tente à plusieurs reprises, mais toujours en vain, de surmonter d'innombrables obstacles, compliqués et incompréhensibles, pour obtenir accès à un mystérieux château. Après tant d'efforts, son obstination sera-t-elle enfin récompensée ? Nous ne le saurons jamais, car Kafka est mort sans avoir achevé son manuscrit.

Dans *Bouvard et Pécuchet*, Flaubert décrit comment deux vieux célibataires qui ont pris leur retraite de petits employés de bureau, se lancent dans un examen encyclopédique de la totalité du savoir humain. Leur naïve entreprise devient bientôt une sorte de navigation circulaire autour de l'immense continent, encore largement inexploré, de la Stupidité humaine. Au départ de cette exploration désespérante, Flaubert avait d'abord eu l'intention de peindre ses personnages comme une paire de lamentables imbéciles ; mais les créatures se rebellèrent bientôt contre leur créateur et elles réussirent à recouvrer leur dignité individuelle. Cette transformation décisive (si bien notée par

Borges) prend place à mi-chemin du récit : « Alors, nous dit Flaubert, une faculté pitoyable se développa dans leur esprit, celle de voir la bêtise et de ne plus la tolérer. » À partir de ce moment, Bouvard et Pécuchet commencent à parler au nom de Flaubert lui-même, cependant que la besogne gigantesque et sans espoir de ce dernier devient une agonie mentale et physique. Il mourut à la tâche, s'effondrant comme un baudet qui crève, écrasé sous un fardeau trop lourd.

Dans sa dernière œuvre, Kafka décrivait la quête du salut, et Flaubert la recherche d'un sens. Mais ce sont là des poursuites qui nous engagent dans des mystères que nul mortel ne saurait sonder. La mort semble donc être intervenue ici de façon singulièrement significative, puisqu'elle a permis à ces explorations de demeurer ouvertes — à jamais.

II

L'IMITATION
DE NOTRE SEIGNEUR
DON QUICHOTTE

Cervantès et quelques-uns
de ses critiques modernes

Quand, dans une discussion, on traite quelqu'un de Don Quichotte, c'est toujours avec une intention insultante, ce qui m'étonne. En réalité, il me semble que l'on ne saurait imaginer de plus beau compliment.

À voir la façon dont beaucoup de gens invoquent le nom de Don Quichotte, on pourrait croire qu'ils n'ont pas lu le livre. Et d'ailleurs c'est souvent le cas. Il serait amusant de faire une petite enquête à ce sujet : qui a lu *Don Quichotte* ? Les résultats seraient sans doute assez surprenants, mais la question risquerait aussi d'embarrasser pas mal de monde, car beaucoup d'hommes éduqués ont cette curieuse notion qu'il existerait un certain nombre de livres qu'il faut avoir lus, et il leur paraîtrait donc honteux de devoir admettre qu'ils ont manqué à cette obligation culturelle. J'avoue que je ne partage pas cette vue. Il me semble que l'on ne devrait lire que pour le plaisir.

Mais bien sûr je ne parle ici que de littérature pure, et non de la littérature scientifique que les universitaires et les membres des professions libérales sont naturellement tenus de maîtriser pour s'acquitter avec compétence de leurs devoirs professionnels. Il est tout normal, par exemple, que vous attendiez de votre médecin qu'il ait étudié divers traités d'anatomie et de pathologie, mais il serait sans doute abusif d'exiger de lui qu'il ait également lu les nouvelles complètes de Tchekhov. (Quoique, quand on y songe, s'il me fallait choisir entre deux médecins dont les qualifications seraient par ailleurs égales, je crois bien que je me fierais plutôt à celui qui lit Tchekhov.)

Les critiques littéraires jouent un rôle utile (sur lequel je reviendrai dans un moment), mais il me semble qu'une partie de la critique contemporaine (et je pense en particulier à une certaine école de théoriciens universitaires) souffre d'une assez redoutable infirmité. À les lire, on soupçonnerait parfois que ces gens, au fond, n'aiment pas vraiment la littérature. On dirait que la lecture ne leur donne aucun bonheur ; ou, s'ils se mettaient à prendre du plaisir à la lecture d'un livre, ils l'accuseraient aussitôt de frivolité. Car, à leurs yeux, rien de ce qui est *amusant* ne saurait être important. Mais là ils commettent une lourde erreur ; en effet, quand une chose n'est pas amusante, cela ne veut pas nécessairement dire qu'elle est *sérieuse* ; cela veut seulement dire qu'elle est *ennuyeuse*.

Mais, sans que nous nous en rendions compte, pareille attitude vient parfois influer sur notre propre vision de la littérature. C'est ainsi qu'il nous arrive souvent de perdre de vue que, jusqu'à une époque assez récente, un grand nombre de chefs-d'œuvre furent conçus avant tout comme des divertissements populaires. Depuis Rabelais, Shakespeare, Molière, jusqu'aux géants du XIXe siècle, Balzac, Hugo, Dumas, Dickens, Thackeray, le premier souci d'une majorité de grands créateurs ne fut pas tant d'obtenir l'approbation d'une coterie de connaisseurs (ce qui, malgré tout, est relativement aisé) que de toucher le commun des lecteurs, de les faire rire et de les faire pleurer (ce qui est beaucoup plus difficile).

Pour nous, aujourd'hui, la notion même de « classique » éveille en général un écho solennel. Mais quand on approche

Don Quichotte — dont on peut bien dire qu'il est *le* classique par excellence — il ne faudrait quand même pas oublier qu'à l'origine il fut écrit dans une perspective assez platement pratique : il s'agissait de divertir le plus large public possible, afin de rapporter beaucoup d'argent à l'auteur, qui en avait cruellement besoin. De plus, la personne historique de Cervantès correspond assez mal à l'image que nous nous faisons habituellement de ces génies inspirés qui écrivent des ouvrages immortels. Rappelons brièvement le peu qu'on sait de sa vie : mercenaire et invalide de guerre, capturé par des pirates musulmans, il fut vendu comme esclave en Afrique du Nord où il passa de longues années en captivité ; lorsqu'il réussit enfin à regagner l'Espagne, ce fut pour y tomber aussitôt dans une noire pauvreté. Il se retrouva plusieurs fois en prison ; son existence ne fut qu'une harassante lutte pour survivre. Il tenta à plusieurs reprises — mais sans grand succès — de s'imposer par sa plume : il fabriqua successivement diverses pièces de théâtre et des romans pastoraux ; la plupart de ces ouvrages ont disparu, et le peu qu'il en reste n'a rien de bien remarquable.

Et ce n'est qu'au terme d'une carrière jalonnée d'échecs, à l'âge de cinquante-huit ans, avec la publication de *Don Quichotte* (en 1605 pour la première partie), qu'il parvient enfin à décrocher la timbale : le livre remporte aussitôt un énorme succès et devient même un best-seller international. Là-dessus, Cervantès a encore juste le temps d'achever la seconde partie de son chef-d'œuvre (en 1615), et il meurt un an après cette dernière publication.

Maintenant, considérons donc un peu ce paradoxe : *Don Quichotte* est tenu à juste titre comme une création inoubliable de la littérature universelle. Et pourtant, à l'origine, ce fut aussi — très littéralement — un ouvrage alimentaire, concocté par un écrivassier laborieux, arrivé à l'extrême bout de son rouleau. Il y a plus étrange encore : Cervantès avait conçu et développé tout son ouvrage comme une machine de guerre exclusivement dirigée contre une cible qui nous paraît aujourd'hui dérisoirement dénuée d'importance et d'intérêt : l'objectif premier de l'auteur, en effet, avait été de dénoncer et pourfendre un genre littéraire bien particulier, qui avait un temps connu la vogue, la littérature chevaleresque. Et ce fut cette bizarre polémique, parfaitement oiseuse d'ailleurs, qui constitua pour Cervantès *la* grande cause digne de mobiliser le meilleur de son intelligence et de son énergie ; la poursuite obsessionnelle de cette querelle — singulièrement vaine et futile — sous-tend d'un bout à l'autre la structure même de son livre.

Cette structure est du reste fort simple : la prémisse de l'ouvrage nous est livrée dès les premières pages du chapitre I et les mille pages qui suivent ne sont guère que l'application à des situations diverses de cette donnée de départ — soit quelque cent vingt variations sur un même thème : Don Quichotte, un gentilhomme campagnard, pauvre et oisif (ce qui est toujours une dangereuse combinaison pour un individu imaginatif), se prend de passion pour la littérature chevaleresque : ses lectures finissent par lui « dessécher le cerveau », et il décide d'embrasser lui-même la carrière de chevalier errant. Mais le problème, évidemment, est que les chevaliers errants relèvent d'un autre âge, depuis longtemps révolu. Dans l'impitoyable monde moderne, sa quête obstinée d'honneur et de gloire est tout simplement un grotesque anachronisme. Ce conflit entre sa haute vision et une réalité triviale conduit à une série de mésaventures risibles et lamentables, dans lesquelles il se retrouve la plupart du temps victime de farces cruelles ou de mystifications compliquées. Tout à la fin cependant, il se réveille de ce songe héroïque et s'aperçoit que ce qu'il avait si longtemps poursuivi avec tant d'enthousiasme et de courage n'avait été qu'une absurde illusion. Cette découverte constitue son ultime défaite : il en a le cœur brisé, et — littéralement — il meurt de chagrin.

La mort de Don Quichotte, au dernier chapitre, représente le sommet du livre. Il serait difficile, même au lecteur le plus insensible, de lire ces pages sans être ému aux larmes. Et pourtant, même à ce moment crucial, Cervantès ne parvient pas à renoncer à sa malencontreuse obsession : une fois encore, il revient à la charge et trouve le moyen de dénoncer quelques obscurs romans de chevalerie, dont nul lecteur n'a cure. À cet instant précis, l'intrusion de cette polémique éculée est particulièrement intempestive — mais il faut dire que Cervantès a souvent la perverse habitude de ruiner ses meilleurs effets ; c'est du reste un trait qui n'a pas manqué d'exaspérer bon nombre de lecteurs et de critiques (j'y reviendrai dans un moment). Ce que je voudrais faire remarquer ici, c'est qu'il est quand même curieux qu'un chef-d'œuvre dont le rayonnement est devenu universel — transcendant toutes les barrières de langue et de culture, d'espace et de temps — ait réussi à s'édifier à l'origine sur la base d'une querelle littéraire aussi ridicule et insipide.

Cela soulève un problème fondamental. Il y a près d'un demi-siècle, une interview de Hemingway provoqua un assez vif remous ; à un journaliste qui l'interrogeait sur le « message » de son œuvre, il répondit avec beaucoup de bon sens : « Il n'y a pas de messages dans mes romans. Quand je veux envoyer un message, je vais au bureau de poste. »

Cette réplique scandalisa certains critiques : quoi ? Il n'y aurait donc pas de message dans les grandes œuvres de la littérature universelle ? Pas de message dans la *Divine Comédie* ? Pas de message dans *Paradise Lost* ? Et, bien sûr, pas de message dans *Don Quichotte* ?

Naturellement, beaucoup de poètes et de romanciers croient qu'ils ont des messages à communiquer, et la plupart du temps, ils sont passionnément convaincus de leur portée décisive. Mais en fait, bien souvent, ces messages n'ont nullement l'importance que leur attribuent leurs auteurs ; quelquefois même, ils se révèlent erronés, voire stupides — sinon carrément néfastes. Et fréquemment, après un temps, ils perdent simplement toute pertinence, tandis que les ouvrages eux-mêmes, s'ils ont une authentique valeur littéraire, acquièrent une vie autonome et dévoilent progressivement leur signification véritable aux générations ultérieures — mais il s'agit là d'une signification dont l'auteur lui-même n'avait guère eu conscience. Aujourd'hui, les plus fervents lecteurs de Dante ne se préoccupent pas nécessairement de théologie médiévale, et pratiquement aucun des admirateurs modernes de *Don Quichotte* n'accorde la moindre attention à ces romans de chevalerie que Cervantès avait attaqués avec une aussi féroce passion.

En fait, c'est dans cet intervalle entre l'intention consciente de l'auteur (laquelle, en fin de compte, peut n'avoir valeur que de prétexte) et la signification profonde de son ouvrage, que le critique peut trouver le seul terrain légitime sur lequel exercer son métier. Chesterton a bien exprimé cela dans une de ses introductions aux romans de Dickens :

« La fonction d'un critique (à supposer qu'il en ait vraiment une) est de s'occuper de cette part inconsciente de l'esprit de l'auteur, que seul le critique peut exprimer — et non de la part consciente de l'esprit de l'auteur que l'auteur lui-même peut exprimer. Ou bien le critique ne sert à rien (ce qui est fort possible après tout), ou bien son travail ne peut consister qu'en ceci : révéler au sujet d'un auteur des vérités qui auraient fait sauter ce dernier au plafond. »

Dans la mesure où un livre réussit vraiment à être une œuvre d'art — une authentique création animée d'une vie propre —, il y a peu de chances que son auteur ait eu un plein contrôle et une claire compréhension de ce qu'il écrivait. D.H. Lawrence, qui avait une exceptionnelle sensibilité critique, a résumé cette situation dans un propos que j'ai déjà cité plusieurs fois, mais qu'on ne devrait jamais se lasser d'invoquer : « Ne faites aucune confiance à l'artiste. Faites confiance à son œuvre. La vraie fonction d'un critique est de sauver l'œuvre des mains de son créateur. »

Ce besoin de « sauver l'œuvre des mains de son créateur » s'est manifesté avec une vigueur particulière chez les critiques de *Don Quichotte*. En fait, certains de ces critiques ont adopté une attitude étonnante : on dirait que, *plus ils aiment Don Quichotte, plus Cervantès leur devient antipathique.* À première vue ce paradoxe peut paraître tiré par les cheveux ; en réalité, il n'est nullement dépourvu de logique.

Jusqu'au début de notre siècle, quand des comédiens ambulants allaient jouer des mélodrames dans les villages devant un naïf public campagnard, il arrivait souvent que l'acteur qui avait incarné le rôle du traître dût être protégé après la représentation : les durs du cru, en effet, venaient l'attendre à la sortie des coulisses pour le rosser, et venger ainsi tous les noirs méfaits qu'il avait perpétrés en scène de façon si redoutablement convaincante. De même, c'est précisément parce que Don Quichotte est tellement vivant et réel pour eux, que certains lecteurs ne peuvent pardonner à Cervantès d'avoir traité son noble héros de manière aussi grossière et impitoyable.

Ou encore la littérature populaire contemporaine pourrait nous fournir un autre exemple : dans un roman d'épouvante de Stephen King, *Misery* — dont il a été tiré un film horriblement drôle —, un romancier célèbre tombe par accident aux mains d'une lectrice enthousiaste ; celle-ci, qui est une psychopathe, le garde en captivité : dans le dernier livre de l'écrivain en question, elle avait été bouleversée par la mort de son héroïne favorite — mais, maintenant que l'auteur se trouve en son pouvoir, elle entreprend de le soumettre à d'atroces tortures pour l'obliger à récrire la fin de son roman.

Les quatre critiques modernes de Cervantès dont je voudrais brièvement présenter ici les vues sont eux-mêmes des écrivains originaux, ainsi que des esprits raffinés. En principe, ils ne sauraient donc pas avoir grand-chose de commun avec la harpie délirante du scénario de Stephen King, ni avec les rustres de village qui rouaient de coups les traîtres de mélodrame à la sortie du théâtre. Et pourtant, comme nous allons le voir, les premiers avec toute leur subtilité d'esthètes, et les seconds dans leur fureur naïve, réagissent d'une manière fondamentalement semblable, car leur réaction témoigne de la vertu efficace d'une même magie : *la réalité de la fiction.*

Le premier de mes critiques est Vladimir Nabokov. Au début des années 50, durant une visite à l'université Harvard, Nabokov donna une série de six causeries sur *Don Quichotte.* En préparant ces causeries, il s'était appuyé tout d'abord sur le souvenir émerveillé qu'il avait gardé du livre, lu dans son adolescence. Mais il éprouva bientôt le besoin de revenir directement au texte — et cette fois il fut horrifié par la cruauté du récit de Cervantès. Comme le décrivit un de ses biographes [1] : « Nabokov détestait la grasse hilarité que Cervantès cherche à provoquer chez ses lecteurs en leur narrant les déboires de son héros ; et il compara à plusieurs reprises la prétendue drôlerie du livre avec les humiliations et la crucifixion du Christ, avec l'Inquisition espagnole, et avec les corridas modernes. »

En fait, il prenait tellement plaisir à fulminer contre Cervantès devant son vaste public d'étudiants qu'il finit par indisposer divers collègues au sein de la faculté des lettres, et on lui notifia un solennel avertissement : « Harvard ne partage pas ces vues. » Quelques années plus tard, quand il postula une chaire à Harvard, sa candidature fut rejetée — ce qui le laissa très morfondu. Bien sûr, d'autres facteurs étaient également venus peser dans la balance, mais il est certain que ses

---

1. Voir Brian Boyd, *Vladimir Nabokov : The American Years,* Princeton University Press, 1991, p. 213-214 ; trad. française de Philippe Delamare, *Vladimir Nabokov,* 2. *Les années américaines,* Paris, Gallimard, 1999. Les causeries de Nabokov reçurent une publication posthume, sous le titre *Lectures on Don Quixote,* Harcourt, Brace, Jovanovich, 1983 ; trad. française, *Littératures III,* Fayard, 1986.

commentaires hétérodoxes sur *Don Quichotte* ne furent pas étrangers à cet échec.

Nabokov avait toujours éprouvé un malin plaisir à prendre le contre-pied des idées reçues, mais sur le sujet de *Don Quichotte*, ce goût du paradoxe l'amena à formuler une observation originale et importante : contrairement à ce que croient la plupart de ses lecteurs, le récit de Cervantès n'est pas un monotone tissu de désastres. Après avoir attentivement examiné la succession des épisodes, Nabokov put démontrer que la conclusion de chaque aventure n'était nullement prévisible, et il établit même un petit tableau des victoires et défaites de Don Quichotte, sur le modèle des résultats d'un tournoi de tennis, dont l'issue demeure incertaine jusqu'au dernier moment : « 6-3, 3-6, 6-4, 5-7. Mais le cinquième set ne sera jamais joué : match annulé pour cause de décès. »

Mais la façon barbare dont Cervantès traite son héros inspirait une telle horreur à Nabokov qu'il finit par rayer le livre du programme de son cours de littérature étrangère à l'université Cornell : il n'avait plus le cœur à s'attarder sur ce sujet. Il faut remarquer toutefois que sa virulente hostilité à l'auteur du livre allait de pair avec une fervente admiration pour son personnage, auquel il rendit finalement cet éloquent hommage :

« Il y a déjà trois cent cinquante ans que Don Quichotte chevauche à travers les jungles et les toundras de la pensée humaine — et il n'a fait que gagner en vitalité et en stature. Nous ne rions plus de lui. Il a pris la pitié pour blason, et la beauté pour bannière. Il demeure le champion de toutes les causes nobles, désespérées, pures, désintéressées et courageuses. »

Le second commentateur que je voudrais évoquer est Henry de Montherlant. Comme tout le monde sait, Montherlant connaissait bien l'Espagne. Il dit avoir lu et relu *Don Quichotte* quatre fois au cours de sa vie, dont une fois au moins dans le texte original [1]. Mais il confesse, lui aussi, un malaise grandissant devant la sauvagerie du traitement que Cervantès fait subir à son personnage. Il estime en outre que l'histoire traîne en longueur et qu'elle comporte un trop grand nombre de plaisanteries cruelles et de mauvais goût — mais n'est-ce pas là précisément une assez bonne définition de la vie elle-même ? Une fois encore, les plus sévères accusations que l'on puisse adresser à Cervantès se ramènent toujours à ce pouvoir unique et troublant qu'a son livre de rivaliser avec la réalité même.

Mais ce que Montherlant trouvait de plus inacceptable, et ne pouvait pardonner à Cervantès, c'est que, à aucun moment de son récit, l'auteur n'ait eu un mot de compassion pour son héros, ni un mot de reproche à l'endroit des brutes qui, sans trêve, se moquent de lui et le persécutent. Cette indignation, fort semblable à celle de Nabokov, reflète encore une fois une attitude qui commence à nous devenir familière. Ce qui irrite les critiques de Cervantès, c'est précisément ce qui fait la force de son art — le secret qui permet à son œuvre de se confondre avec la vie. Flaubert (qui vouait d'ailleurs un culte à *Don Quichotte*) a dit que l'écrivain devait être dans son œuvre comme Dieu dans la création : Il a tout créé, mais nulle part on ne le voit ni ne l'entend. Il est partout, mais demeure invisible et silencieux ; on le croirait absent et indifférent. Et nous maudissons ce silence et cette indifférence, qui nous semblent une preuve de sa cruauté.

Cependant, si l'auteur devait intervenir dans son récit, si, au lieu de laisser les faits et les actions parler d'eux-mêmes, il devait nous adresser directement la parole, le charme serait aussitôt rompu, nous redeviendrions soudain conscients que ceci n'est pas la vie, ce n'est pas la réalité — ce n'est qu'un

---

1. Il a abordé le sujet de *Don Quichotte* à plusieurs reprises dans ses *Carnets* et il a écrit une introduction pour une réédition de l'ouvrage en livre de poche. Ce texte a été reproduit ensuite dans son recueil posthume *Essais critiques*, Gallimard, 1995.

conte. Quand nous reprochons à Cervantès son absence de pitié et la férocité de ses mystifications, nous oublions que c'est la vigueur même de notre indignation qui atteste la force convaincante de son monde et de ses personnages.

Cette absolue réalité de Don Quichotte devint un article de foi pour le plus puissant et le plus original de tous ses commentateurs modernes : mon troisième critique, Miguel de Unamuno. Génie multiforme — universitaire, philosophe, romancier, essayiste, poète, basque, espagnol, européen, humaniste universel —, Unamuno a écrit un prodigieux commentaire, chapitre par chapitre, du roman de Cervantès, *La vie de Don Quichotte et de Sancho Pança* (1905). Cette monumentale paraphrase de *Don Quichotte* est imaginative, paradoxale et profonde — et elle est aussi très drôle.

La thèse que développe Unamuno sur plus de quatre cents pages, avec un sérieux imperturbable, est qu'il faut de toute urgence délivrer Don Quichotte des mains maladroites de Cervantès. Don Quichotte est notre guide, il est inspiré, il est sublime, il est vrai. Tandis que Cervantès n'est qu'une ombre falote : privé du soutien de Don Quichotte, il existe à peine ; réduit à l'indigence de ses propres ressources morales et intellectuelles, il s'est montré incapable de produire aucune œuvre de poids. Comment aurait-il jamais pu apprécier le génie de son héros ? Sur Don Quichotte, il a toujours adopté le point de vue du monde — il a pris le parti de l'ennemi. Aussi Unamuno s'est-il assigné pour tâche de rétablir la vérité et de justifier la validité de la vision de Don Quichotte, contre la fausse sagesse des gens d'esprit, contre la vulgarité des butors, contre l'astuce bornée des plaisantins — et surtout, contre la compréhension limitée de Cervantès lui-même.

Pour apprécier pleinement l'essai d'Unamuno, il faut le replacer dans le contexte de sa vie spirituelle, qui fut passionnée et tragique. Unamuno était un catholique pour qui la foi demeura toujours la question centrale : ne pas croire est inconcevable — et croire est impossible. Cette contradiction dramatique est bien résumée dans un de ses poèmes :

Je souffre à vos dépens,
Ô Dieu non existant, car si vous existiez
Moi aussi, j'existerais vraiment [1].

En d'autres termes : Dieu n'existe pas, et la meilleure preuve en est que — comme vous pouvez tous le constater — moi non plus je n'existe pas. Ainsi chez Unamuno, chaque aveu d'incrédulité devient une paradoxale profession de foi. Dans sa philosophie, la foi finit par créer ce qu'elle contemple — non pas comme une autosuggestion subjective et évanescente, mais bien comme une réalité objective et solide, susceptible d'être transmise et partagée.

Car, en fin de compte, ce sont tous les Sancho Pança de ce monde qui vont se porter garants de cette réalité. Le Sancho charnel et terre à terre qui a si longtemps suivi Don Quichotte, qui l'a suivi avec scepticisme, avec perplexité, avec appréhension, l'a aussi suivi avec fidélité. Sancho ne croyait pas en ce que croyait son maître, mais il croyait en son maître. Tout d'abord, il avait été mû par la cupidité ; finalement, il se trouva mû par l'amour. Et même dans les pires tribulations, il continua à suivre Don Quichotte, parce qu'il en était venu à aimer l'idée qui inspirait ce dernier. Et quand Don Quichotte se retrouva sur son lit de mort, tristement guéri de sa splendide illusion, finalement dépouillé de son rêve, Sancho découvrit qu'il avait hérité de la foi de son maître : il l'avait acquise simplement comme on attrape une maladie, par contagion — la contagion de l'amour et de la fidélité. Parce qu'il a converti Sancho, Don Quichotte ne pourra jamais mourir.

1. *Sufro yo a tu costa,*
   Dios no existente, pues si Tú existieras
   Existiría yo también de veras.

Rosario de sonetos líricos

Aussi, dans la folie de Don Quichotte, Unamuno déchiffre-
t-il une parfaite illustration des pouvoirs et de la sagesse de la
foi ; Don Quichotte cherchait à conquérir une gloire immortelle, il voulait illustrer son nom pour tous les siècles à venir.
À cette fin, il emprunta le chemin apparemment le plus
impraticable et le plus absurde : il suivit la voie d'un chevalier
errant, dans un monde où la chevalerie avait disparu depuis
longtemps. En conséquence, tous les beaux esprits et les plaisantins délurés s'esclaffèrent au spectacle de sa lubie. Mais,
dans cette longue lutte qui opposa au monde le chevalier soli-
taire et son fidèle écuyer, qui donc souffrait d'aveuglement ?
De quel côté, en définitive, régnait l'illusion ? Le monde qui
s'était moqué d'eux est retourné en poussière, tandis que
Don Quichotte et Sancho vivent à jamais.

Finalement, la sagesse de Don Quichotte s'est donc trouvée justifiée. Telle est la leçon développée de la façon la plus
convaincante par le dernier de mes critiques, Mark Van
Doren, une très haute figure de la vie littéraire et intellectuelle américaine, dans son essai intitulé *Le métier de Don
Quichotte* [1]. Ce texte admirable, reproduisant une série de
trois conférences prononcées à l'université Columbia, est
encore presque inconnu en Europe.

Van Doren décrit très justement *Don Quichotte* comme un
livre d'une « mystérieuse simplicité » :

« La preuve de sa simplicité, c'est qu'on peut le résumer en quelques phrases. La preuve de son mystère, c'est qu'on peut en discuter
à l'infini. Et effectivement, il a été discuté comme nulle autre histoire jamais ne l'a été. Car il se passe quelque chose d'étrange avec
les lecteurs de ce livre : ils ne lisent pas le même livre... On serait
tenté de dire que rien au monde n'a jamais fait l'objet d'un plus
grand nombre de théories contradictoires. Et pourtant il survit à

---

1. *Don Quixote's Profession* ; édition originale, Columbia University Press,
1958 ; reproduit *in* Mark Van Doren, *The Happy Critic*, Hill and Wang, New
York, 1961.

tous ces commentaires, comme seul peut le faire un chef-d'œuvre authentiquement doué de vie. »

Van Doren commence son essai par un paragraphe dont l'élégance limpide est typique de son style ; il mérite d'être cité en entier :

« Un gentilhomme d'une cinquantaine d'années, qui n'avait rien à faire, s'inventa un beau jour un métier. Les gens de son entourage, dans sa maisonnée et dans son village, étaient d'avis qu'il n'était pas nécessaire d'adopter une initiative aussi extrême. Il avait une terre, il aimait la chasse ; il avait là, disaient-ils, suffisamment de quoi s'occuper, et il aurait bien pu se contenter des tâches banales que lui imposait la vie de tous les jours. Mais le gentilhomme en question n'était pas satisfait. Et quand il entreprit sérieusement de s'engager dans une existence tout à fait différente, les siens tout d'abord, puis les voisins pensèrent tous qu'il était devenu excentrique, voire même fou. Trois fois, il se mit en route. La première fois, il revint de son propre gré ; la seconde et la troisième, il fut ramené chez lui par des gens du village qui s'étaient mis à sa poursuite. Il revint chaque fois dans un état d'épuisement complet, car le métier qu'il s'était choisi était lourd et ardu. Peu après son troisième retour, il s'alita, fit son testament, confessa ses péchés, reconnut que son entreprise avait été une erreur, et mourut. »

La thèse principale de Van Doren est que, nonobstant ce que Cervantès a pu lui-même penser là-dessus, Don Quichotte n'était nullement fou. Simplement, les mystifications dont il faisait constamment l'objet lui donnèrent l'impression trompeuse que son entreprise était vraiment réalisable ; et cette illusoire perspective de succès prolongea artificiellement sa carrière. Mais, à n'importe quel moment, il aurait parfaitement pu renoncer à son aventure et tranquillement rentrer chez lui ; tandis qu'un fou véritable est prisonnier de sa folie et ne dispose jamais d'un pareil choix.

Le métier que s'était choisi Don Quichotte était celui de chevalier errant. Il n'a jamais eu l'illusion qu'il *était* un chevalier errant ; non, il a résolu d'en devenir un. Don Quichotte ne prétend pas qu'il est quelqu'un d'autre, comme font les enfants dans leurs jeux; il n'assume pas une fausse identité comme font les imposteurs; il n'essaie nullement d'incarner un personnage fictif à la façon d'un acteur de théâtre. Et il n'adopte cette profession de chevalier errant qu'après mûre réflexion : c'est le résultat d'un choix délibéré. Après avoir considéré diverses autres possibilités, il décida finalement que la carrière d'un chevalier errant serait la plus satisfaisante pour lui, intellectuellement et moralement.

Mais comment devient-on un chevalier errant? se demande Van Doren. En se comportant comme un chevalier, ce qui, à l'inverse d'une comédie ou d'une imposture, s'avère une tâche héroïque. Don Quichotte s'efforce de copier des modèles illustres; cette imitation qu'il pratique est aussi la forme d'apprentissage la plus approfondie et la plus efficace, c'est la vraie méthode d'accès au savoir, la clé d'une compréhension vivante. Quand un individu agit exactement comme un grand homme, quelle différence y a-t-il encore entre lui et un grand homme? On se comporte comme un poète quand on écrit des poèmes.

Pour se comporter comme un homme d'État, il faut sonder la nature du bien commun et de la justice. C'est en étudiant que l'on se comporte comme un étudiant. Pour agir en chevalier, il faut penser et sentir comme un chevalier.

Si Don Quichotte avait simplement été fou, ou s'il avait joué la comédie, nul ne se souviendrait de lui, observe Van Doren : « Si aujourd'hui encore nous continuons à parler de lui, c'est parce que nous avons le sentiment qu'en fin de compte, il est vraiment devenu un chevalier. »

« L'homme est un animal qui se façonne des images de lui-même et puis finit par ressembler à l'une d'elles. » Iris Murdoch a formulé cette remarque dans un contexte différent, mais elle identifie très précisément un trait fondamental de la nature humaine. C'est ce trait qu'a incarné Don Quichotte de la façon la plus mémorable — et c'est cela qui donne au roman de Cervantès sa portée universelle.

À la différence de Don Quichotte, toutefois, la plupart du temps nous n'avons guère la possibilité de choisir nous-mêmes les personnages qu'il nous va falloir incarner. Ce sont les circonstances de la vie qui se chargent de la distribution des rôles; ces rôles nous sont imposés de l'extérieur, on nous dicte nos répliques, on nous souffle nos mouvements de scène. Roberto Rossellini en a donné une illustration frappante dans un des derniers films de sa carrière, *Le général Della Rovere* (1959). Un escroc à la petite semaine, en Italie à la fin de la Seconde Guerre mondiale, est arrêté par la Gestapo et forcé de se faire passer pour un prestigieux chef de la Résistance, le général Della Rovere, afin de soutirer les secrets de certains prisonniers politiques. Mais l'imposteur joue son rôle de façon si convaincante que les autres prisonniers finissent par le prendre pour guide et modèle. Ainsi, il est progressivement amené à vivre au-dessus de lui-même, pour correspondre à l'image qu'a créée leur attente. Finalement, il refuse de tromper leur confiance; on le met devant un peloton d'exécution, et il meurt en héros. Il est vraiment devenu le général Della Rovere.

En ce qui nous concerne, la vie nous offre rarement des scénarios aussi dramatiques. D'habitude, les rôles qu'il nous faut jouer sont plus humbles et ordinaires — ce qui ne veut pas dire qu'ils sont moins héroïques. Pour nous aussi, nos compagnons de captivité ont des exigences extravagantes et peuvent nous forcer à incarner des personnages dont l'envergure dépasse largement nos capacités naturelles. Ainsi, nos parents attendent de nous que nous soyons des fils et des filles, nos enfants attendent de nous que nous soyons des pères et des mères, nos conjoints attendent de nous que nous soyons des maris et des femmes — et aucun de ces rôles n'est léger ni facile. Ils sont lourds de risques et de défis, d'épreuves, d'angoisses, d'humiliations, de victoires et de défaites.

À l'interrogation fondamentale de l'homme : pourquoi Dieu ne nous parle-t-il jamais directement ? pourquoi ne pouvons-nous jamais voir son visage ?, C. S. Lewis a donné une réponse saisissante : comment Dieu pourrait-il nous parler face à face, *tant que nous n'avons pas de face ?*

Quand nous faisons notre première entrée sur la scène de la vie, c'est comme si on nous avait seulement donné des masques correspondant à nos rôles respectifs. Si nous jouons bien notre personnage, ce masque finit par devenir notre vrai visage. Et c'est ainsi que Don Quichotte devient un chevalier, le médiocre escroc de Rossellini devient le général Della Rovere — et chacun de nous peut enfin devenir qui il devait être.

Le fameux multibillionnaire américain Ted Turner a tenu il y a quelques années un propos remarquable. Il a déclaré qu'il n'aimait pas la religion chrétienne car, dit-il, « c'est une religion de perdants ». Comme c'est vrai ! On ne saurait mieux la définir.

Des expressions telles que « quichottesque » ou « faire le Don Quichotte » (comme je l'ai indiqué au début de cet article) sont passées dans la langue courante pour décrire des attitudes ou des comportements absurdement naïfs et idéalistes, ridiculement dénués de sens pratique — voués à l'échec. Que ces expressions soient toujours utilisées dans un sens péjoratif indique non seulement que nous avons cessé de lire Cervantès, ou de comprendre son personnage, mais, plus fondamentalement, révèle que notre culture est partie à la dérive et s'est coupée de ses racines spirituelles.

Ne nous y trompons pas : malgré (ou avec) toutes ses farces grossières, son réalisme cynique, son langage parfois grivois et scatologique, le chef-d'œuvre de Cervantès est ancré dans le christianisme, et plus spécifiquement dans le catholicisme espagnol, avec sa vigoureuse aspiration mystique. Sur ce sujet, Unamuno a observé que ni Jean de la Croix ni Thérèse d'Avila ou Ignace de Loyola ne rejetaient la raison, ni ne mettaient le savoir scientifique en question ; ce qui les avait poussés dans la voie mystique, c'était cette perception qu'ils avaient d'un intolérable écart entre l'énormité de leur désir et la petitesse de la réalité. Dans sa quête d'une gloire immortelle, Don Quichotte a subi d'innombrables revers. Comme il refusait obstinément d'ajuster « l'énormité de son désir » à « la petitesse de la réalité », il était voué à un perpétuel échec. Seule une culture fondée sur une « religion de perdants » pouvait produire un pareil héros.

Cependant, nous devrions aussi nous souvenir de ceci (si je puis ainsi paraphraser Bernard Shaw) : les gens qui réussissent sont ceux qui savent s'adapter à la réalité. En revanche, ceux qui persistent à vouloir élargir la réalité aux dimensions de leur rêve échouent. Et c'est pourquoi tout progrès humain est dû en définitive aux gens qui échouent.

III

VICTOR HUGO [1]

*La gloire ressemble au lit de Louis XIV à Versailles;
C'est magnifique et il y a des punaises dedans.*

Victor Hugo [2]

Au début de sa carrière, Henry James vécut quelque temps à Paris. Comme il avait besoin d'argent, il travailla plusieurs mois comme correspondant du *New York Tribune* [3]. Dans un article de janvier 1876, il décrivit les récentes activités politiques de Victor Hugo. Le vieux poète-prophète avait lancé

1. Ce texte est un compte-rendu de l'ouvrage de Graham Robb, *Victor Hugo : a Biography*, Norton, New York, 1998.
2. *Œuvres complètes de Victor Hugo* — titre abrégé ci-après en *OC* — (« Bouquins », Laffont, Paris, 1989) : *Océan*, p. 290. Ce fragment posthume (cité ici dans son intégralité) comporte un titre, *Les insulteurs* : Hugo ne visait donc pas les manquements des grands, mais le fait que la grandeur offre, par sa nature même, un large champ d'action à la vermine.
Notez que cette observation aurait pu s'appliquer à Hugo, même dans son sens le plus littéral. L'admirable Juliette Drouet, sa maîtresse aimante, loyale et patiente jusqu'à l'héroïsme, a confié que l'hygiène personnelle du grand poète était déplorable : son linge était malpropre, il empruntait constamment la brosse à dents de Juliette, et une fois même il lui communiqua des puces.
3. Quatre-vingts ans après leur publication originale dans ce quotidien newyorkais ces *Letters from Paris* furent finalement recueillies en un volume excellemment édité et présenté par Leon Edel, *Henry James : Parisian Sketches*, New York University Press, 1957.

un appel aux délégués de toutes les communes de France pour rétablir Paris à sa place de capitale — statut que la ville avait perdu cinq ans auparavant, à la suite de l'écrasement sanglant de la Commune par les Versaillais. James écrivait :

« Les journaux de ces quinze derniers jours ne contiennent guère que les discours et programmes des candidats au Sénat et à la Chambre. Un des plus remarquables documents de cette espèce est une sorte de *pronunciamiento* lancé par Victor Hugo. [...] Il paraît peu probable que les vaticinations politiques de Victor Hugo puissent exercer un atome d'influence sur aucune créature humaine ; mais je ne doute pas qu'elles trouvent un écho suffisamment sonore dans les *couches sociales* les plus obscures ; et d'ailleurs il n'y a pas de raison pour que ces mêmes influences qui ont façonné un Victor Hugo, n'aient pas également produit un certain nombre de gens en tous points semblables à lui — sauf sur le chapitre du génie. Mais en ces matières, le génie n'intervient pas ; en tout cas il est certainement absent de son allocution aux délégués des 36 000 communes de France. On aurait pu croire qu'il avait déjà illustré toute la capacité qu'a l'esprit humain de s'illusionner avec de simples mots et de simples phrases, mais son originalité dans ce domaine est absolument sans égale, et peut-être ai-je eu tort de dire que son génie s'était absenté. [...] Voici ce qu'il avait à dire à ses 36 000 codélégués : "À ce Paris qui méritait toutes les vénérations on a jeté tous les affronts [...]. En lui ôtant son diadème de capitale de la France, ses ennemis ont mis à nu son cerveau de capitale du monde. Ce grand front de Paris est maintenant tout à fait visible, d'autant plus rayonnant qu'il est découronné. Désormais les peuples unanimes reconnaissent Paris pour le chef-lieu du genre humain." Et là-dessus M. Hugo enjoint à ses électeurs de "décréter la fin des abus par l'avènement des vérités [...], d'affirmer la France devant le germanisme, d'affirmer Paris devant Rome, d'affirmer la lumière devant la nuit [1]". En tant que nation, les Français sont-ils

---

1. James avait traduit en anglais ce passage de Hugo. Je reproduis ici la version originale, voir *OC, Politique* : « Actes et Paroles » III, 2ᵉ partie, xxv, p. 898.
   Ce serait une erreur d'attribuer ces incontinences rhétoriques aux effets du grand âge. Trente-cinq ans plus tôt, Hugo avait déjà émis des observations semblables : « Vienne, Berlin, Saint-Pétersbourg, Londres, ne sont que des villes ; Paris est un cerveau. Depuis vingt-cinq ans, la France mutilée n'a cessé de grandir de cette grandeur qu'on ne voit pas avec les yeux de la chair, mais qui est la

plus vaniteux que leurs voisins? C'est là une question que nous n'essaierons pas de trancher : le fait est que semblable accusation pourrait sans doute être formulée à l'égard de chaque nation. Mais ce qui est certain, c'est que la France produit de temps à autre des individus qui expriment cette vanité nationale avec une sottise transcendante qui n'a d'équivalent nulle part ailleurs. C'est un sujet très sensible pour un étranger qui réside en France, car il s'agit là d'un trait qui le fait souffrir. J'ignore comment les gens qui n'aiment pas la France réagissent à cette fantastique prétention qu'ont les Français d'exercer une mission spirituelle dans le monde, mais je peux seulement dire qu'elle est extrêmement déplaisante pour ceux qui l'aiment. Les étrangers qui vivent ici souhaitent simplement jouir de façon paisible et raisonnable des divers fruits succulents de la civilisation française, mais ils n'ont aucun désir de passer leur temps en prosternations et en génuflexions. Ils lisent les apostrophes sublimement verbeuses de Victor Hugo dans le journal du soir en consommant un dîner artistement cuisiné par une main profane ; puis, quittant le restaurant, ils se promènent le long des boulevards illuminés, lesquels par une douce et belle soirée, présentent un aspect bien fait pour réjouir l'humeur, encore que souvent ce spectacle n'incite pas à la "vénération"... »

Et d'ailleurs, poursuit James, si le promeneur étranger devait aller voir une de ces pièces à la mode que montrent les théâtres de ces mêmes boulevards, il pourrait bien se demander « à quel moment de ces compositions, "le cerveau de la

---

plus réelle de toutes, la grandeur intellectuelle. Au moment où nous sommes, l'esprit français se substitue peu à peu à la vieille âme de chaque nation. Les plus hautes intelligences qui, à l'heure qu'il est, représentent pour l'univers entier la politique, la littérature, la science et l'art, c'est la France qui les a et qui les donne à la civilisation. » Et un peu plus loin : « La France a eu et la France a encore la première littérature du monde. Aujourd'hui même, nous ne nous lasserons pas de le répéter, notre littérature n'est pas seulement la première, elle est la seule » (écrit en 1841 ; voir *OC, Le Rhin*, conclusion XV et XVII, p. 425 et p. 429). Mais, d'entrée de jeu, Hugo lui-même ne nous avait-il pas prévenus ? « Les hommes de génie, si grands qu'ils soient, ont toujours en eux leur bête qui parodie leur intelligence » (écrit à l'âge de vingt-cinq ans : *Préface de Cromwell* ; voir *OC, Critique*, p. 17).

capitale du monde se trouve mis à nu". Bien d'autres choses y sont mises à nu, mais le cerveau n'est pas du nombre. »

Il est assez divertissant de voir Henry James reprocher à un autre écrivain d'être verbeux ; mais ce n'est pas pour l'oiseuse saveur de ce paradoxe que j'ai aussi longuement cité son reportage parisien. En fait son commentaire est très révélateur de l'attitude typique et durable que le monde anglo-saxon a généralement adoptée à l'égard de Hugo. Récemment encore, par exemple, l'excellent critique d'art Robert Hughes a consacré un article pénétrant à une superbe exposition des dessins de Hugo à New York — mais, de façon caractéristique, le titre donné à son papier était une vigoureuse adaptation en langue vulgaire moderne des suaves sarcasmes de James : « SUBLIME WINDBAG [1] ».

Une outre enflée de vent ? Hugo n'aurait pas désavoué cette apostrophe. Vent-paraclet-souffle-inspiration : la suggestive chaîne d'associations verbales qui ne manquait jamais d'allumer et de soutenir son imagination ne lui aurait certes pas échappé. Et justement il se trouve que le *vent* lui a inspiré des pages inoubliables [2] — pour en trouver l'égal dans la littérature mondiale, il faut remonter deux mille trois cents ans dans le passé, jusqu'aux écrits visionnaires de Chuang Tzu ! Et en ce qui concerne la « transcendante sottise » de Hugo, James ne fut pas le premier à s'en étonner ; bon nombre d'hommes de lettres français lui avaient déjà donné l'exemple. Leconte de Lisle ayant dit qu'il était bête comme l'Himalaya, le grand homme répondit, non sans pertinence, qu'une bêtise himalayenne était préférable à la variété

1. *Time*, 27 avril 1998.
2. Voir par exemple *Les Travailleurs de la mer* (2ᵉ partie, livre III, chap. II) ou encore « La mer et le vent », in *Proses philosophiques*, chap. XIII (*OC, Critique*, p. 680-695). Notons par ailleurs que Claudel rangeait Hugo sous le signe du Vent (tandis que, selon lui, Lamartine relevait de l'Eau, et Bossuet et Balzac de la Terre). Ainsi, il voyait en Hugo « un incontestable inspiré, qui ne se méfiait pas assez de l'inspiration » — car le problème est que le vent « dans sa bouffée irrésistible entraîne, il faut bien le reconnaître, n'importe quoi ».

commune. (Ce qui rappelle le propos que tint le fameux boxeur Muhammad Ali après avoir échoué au test d'intelligence de l'armée américaine : « J'ai bien dit que j'étais le plus grand, mais j'ai jamais dit que j'étais le plus malin. »)

Baudelaire, qui adressa des lettres adulatrices à Hugo et rédigea des comptes-rendus flagorneurs de ses livres, confia à plusieurs reprises dans sa correspondance avec des intimes ses vrais sentiments sur le sujet : « On peut en même temps posséder un *génie spécial* et être un *sot*. Victor Hugo nous l'a bien prouvé. » Après avoir lu les *Chansons des rues et des bois*, il écrit à sa mère : « C'est horriblement lourd. Je ne vois dans ces choses-là qu'une nouvelle occasion de remercier Dieu, qui ne m'a pas donné tant de bêtise. » Mais c'est la publication des *Misérables* qui excite sa verve la plus féroce : le roman, avec ses prostituées angéliques et ses criminels sentimentaux, rachetés par la puissance de la bonté, le fait grincer des dents, et il s'amusa même un moment avec le projet d'écrire un *Anti-Misérables* satirique [1].

Toutefois, quand vous traitez un homme d'imbécile, l'épithète acquiert une dimension particulière s'il se trouve que vous êtes son fils ou son héritier. Alors que, sur ce même thème, l'ironie de Henry James était finalement superficielle et sans grande pertinence, chez Baudelaire ces secrètes décharges de bile ont quasiment qualité de sacrilège, et, loin de masquer les liens de filiation qui rattachent sa poésie à celle de Hugo, elles les mettent en lumière. Il savait trop bien que la révolution hugolienne avait ouvert la voie et dégagé le

1. Si l'on pouvait compiler un jour une anthologie de tous les grands livres qui n'ont *pas* été écrits, celui-ci devrait sans doute occuper la place d'honneur. Nous savons seulement comment Baudelaire se proposait de conclure : « J'en ferai moi un roman où je mettrai en scène un scélérat, assassin, voleur, incendiaire et corsaire, et qui finira par cette phrase : "Et sous ces ombrages que j'ai plantés, entouré d'une famille qui me vénère, d'enfants qui me chérissent et d'une femme qui m'adore, je jouis en paix du fruit de mes crimes" » (propos notés par le premier biographe de Baudelaire, Charles Asselineau, et reproduits *in* Henri Troyat, *Baudelaire*, Flammarion, Paris, 1994, p. 324).

terrain, et que, sans cette éclatante percée, ses propres *Fleurs du mal* n'auraient pas trouvé de champ où fleurir. Aujourd'hui, il est vrai, la modernité aiguë des accents baudelairiens continue à accompagner notre vie, tandis que le temps a fort malmené les grands monuments que Hugo avait édifiés en vers, et il n'y a plus beaucoup de promeneurs pour en visiter les ruines. Ce qui nous frappe maintenant, c'est la distance qui sépare les deux poètes — mais au sein d'une même tradition, ce sont surtout les différences que l'on remarque. Aussi, dans ce domaine, c'est parfois le point de vue d'un étranger (quand il est doué d'une sensibilité pénétrante) qui peut remettre les choses dans une plus juste perspective : Joseph Brodsky parlant de « l'éloquence ostentatoire » des deux poètes, également fidèles à la tradition française « de pathos et d'apostrophe fiévreuse », n'avait peut-être pas tort quand il concluait avec audace : « Hugo, Baudelaire — pour moi, c'est là un seul et même poète sous deux noms différents [1]. » Certaines évidences ne se découvrent clairement que de loin.

Ce qui a contribué à occulter le rôle de pionnier joué par Hugo dans la poésie française moderne — jusque dans certains de ses développements les plus élitistes et les plus hermétiques du XXe siècle —, c'est cette façon dont sa gloire colossale s'est vulgarisée et transformée en institution nationale à la fin de sa vie. Dans sa vieillesse, il devint littéralement le dieu d'une sorte de nouvelle religion populaire. Et il avait le physique de l'emploi : avec sa barbe blanche et son front immense, lourd d'insondables visions, il offrait une assez convaincante image de Dieu le Père à ces masses laïques auxquelles il prêchait la fraternité universelle et l'avènement d'une république mondiale (mais depuis, on a vu des écrivains fameux soutenir de plus mauvaises causes).

1. Solomon Volkov, *Conversations with Joseph Brodsky*, Free Press, New York, 1998, p. 87.

À sa mort, le cortège funèbre qui transportait sa dépouille au Panthéon — parachevant ainsi le processus de déification — fut suivi par deux millions de spectateurs. Le mauvais goût flamboyant de la cérémonie offrit un mélange baroque de mélodrame et de carnaval — bien saisi par la plume empoisonnée d'Edmond de Goncourt, qui nota dans son *Journal* (à la date du 2 juin 1885) :

« À ce qu'il paraît, la nuit qui a précédé l'enterrement de Hugo, cette nuit de veille désolée d'un peuple, a été célébrée par une copulation énorme, par une priapée de toutes les femmes de bordel en congé, coïtant avec les *quelconques* sur les pelouses des Champs-Élysées — mariages républicains que la bonne police a respectés. [...] Un autre détail à propos des funérailles *foutatoires* du grand homme — et le détail vient de la police. Depuis huit jours, toutes les Fantines des gros numéros fonctionnent, les parties naturelles entourées d'une écharpe de crêpe noire — *le con en deuil*[1]. »

1. Edmond et Jules de Goncourt, *Journal. Mémoires de la vie littéraire*, « Bouquins », Laffont, Paris, 1989, vol. II, p. 1162.
Edmond de Goncourt était toujours en train de saliver sur le dernier ragot scabreux ; Hugo, avec son frénétique appétit de chair fraîche (loin de décliner avec l'âge, ce dévorant besoin devint une manie obsessionnelle à laquelle seule la mort, à l'âge de quatre-vingt-trois ans !, put mettre un terme), avait fourni un aliment constant aux commentaires égrillards de ce lugubre concierge de la vie littéraire.
Entouré de sa femme Adèle, de sa maîtresse permanente, Juliette Drouet, et de ses nombreuses maîtresses occasionnelles (actrices, bas-bleus, beautés à la mode, héroïnes révolutionnaires), Hugo n'était jamais à court de compagnie féminine ; néanmoins il semblait éprouver en même temps un besoin quasi pathologique de contacts furtifs avec toutes les servantes successives de sa propre maisonnée, ainsi qu'avec d'innombrables prostituées et autres partenaires humbles et anonymes, professionnelles ou bénévoles. Il tenait une sorte de registre privé de ces rencontres, notant habituellement les modestes dépenses qu'elles avaient entraînées (sa parcimonie était notoire) ainsi que la nature exacte de chaque transaction ; ces dernières descriptions étaient consignées dans un langage codé (mélange macaronique de latin, d'espagnol fantaisiste et d'hiéroglyphes de son invention) pour déjouer les regards indiscrets de sa maîtresse principale, dont la jalousie était féroce.
Même dans les moments de crise et de tragédie personnelle, ces besoins sexuels continuaient à exercer leur tyrannie dans sa vie quotidienne. Quand Adèle, sa fille bien-aimée, devint mentalement déséquilibrée, elle s'échappa aux Antilles, puis fut reconduite en Europe par une gouvernante noire appelée

Mais dans la suite, pareille popularité lui aliéna dans une certaine mesure la sympathie de l'élite intellectuelle et artistique. D'habitude, l'intelligentsia abandonne la fréquentation des monuments nationaux aux provinciaux, aux étrangers et aux badauds incultes. Des instituteurs à la retraite peuvent peut-être encore réciter ses vers, mais les arbitres de l'élégance littéraire font la grimace en entendant son nom. Le mot de Gide (comme on lui demandait qui était le plus grand poète français, il répondit : « Hugo, hélas ») est demeuré justement célèbre : mieux qu'un long discours, il exprime toute l'ambivalence de l'*establishment* critique à son sujet [1].

Et effectivement, pour les connaisseurs subtils, la grandeur de Hugo présente un paradoxe assez difficile à digérer : le plus fameux de tous les écrivains français est aussi celui qui offense le plus agressivement le goût français. Le génie de ce pays vise essentiellement à la mesure, à la clarté et à la perfection. Or Hugo est excessif, brumeux et déséquilibré. Dans une tradition qui prise par-dessus tout l'ordre, l'harmonie et le sens des proportions, Hugo est venu planter la tente bariolée de son musée ambulant des horreurs : un cirque de cauchemar plein de bossus, de colosses, de nains et de monstres divers, avec des combats à mort contre des crocodiles et des pieuvres géantes, sur une toile de fond d'égouts, de ruines gothiques, de nuits de tempête, d'incendies, de raz-de-marée

---

Madame Baa. À son retour, Adèle était incohérente — elle ne devait plus jamais recouvrer la raison — et ne put reconnaître les membres de sa famille. Hugo avoua sa douleur dans son journal intime : « J'ai revu Adèle. Mon cœur est brisé... Une autre porte s'est refermée, plus sombre que le tombeau. » Mais quelques jours après cette tragique réunion, il ne sut résister à la curiosité exotique que Madame Baa avait éveillée en lui, et il put bientôt consigner dans le même journal le succès de cette nouvelle expérience : « La première négresse de ma vie. »

1. La réflexion de Valéry allait dans le même sens : « Hugo est un milliardaire. — Ce n'est pas un prince. » (P. Valéry, *Œuvres*, « La Pléiade », Gallimard, Paris, 1960, vol. II, *Mauvaises pensées et autres*, p. 804).

et de naufrages... La folie qui l'accompagna toute sa vie — son frère et sa propre fille finirent tous deux internés dans un asile d'aliénés — transparaît en filigrane partout dans son œuvre. Robb relève avec finesse qu'à certains moments on peut voir que Hugo s'effrayait lui-même des débordements de son imagination : à certains de ses poèmes les plus angoissants, il ajoutait une conclusion rassurante, comme une sorte de queue postiche. Et quand on considère la richesse sombre et chaotique de son inconscient, on s'étonne qu'il ait réussi à conserver une apparente santé mentale. Ce n'est que dans ses dessins — mais ceux-ci n'étaient pas destinés à être exposés — que Hugo (qui fut aussi l'un des artistes graphiques les plus originaux des cent cinquante dernières années) osa parfois aller jusqu'au bout de ses inquiétantes visions.

Degas confia un jour à Mallarmé qu'il avait des tas d'idées de poèmes, mais qu'il était morfondu de ne pas réussir à les écrire ; et Mallarmé de répondre : « Mais, Degas, ce n'est point avec des idées que l'on fait des vers, *c'est avec des mots* [1]. » Dans la mesure où la poésie moderne peut se définir par cette conscience que le poème est engendré par les mots plutôt que par des idées — que c'est l'« impulsion linguistique » qui motive le poète — elle relève d'une esthétique directement tributaire de la leçon de Hugo. « Tout poète tant soit peu sérieux sait bien que ce qu'il écrit, c'est le langage qui le lui dicte » ; cette déclaration est de Joseph Brodsky [2], mais

1. Paul Valéry, *ibid.*, *Degas, danse, dessin*, p. 1208.
2. Solomon Volkov, *op. cit.*, p. 218. Par un heureux hasard (mais est-ce vraiment un hasard ? Passé un certain âge plus aucune de nos lectures n'est simplement fortuite), je me suis trouvé plongé simultanément dans la biographie de Hugo et dans les propos de Brodsky. Ce rapprochement — nullement prémédité — s'est avéré singulièrement fécond. Brodsky avait une foi quasi mystique dans l'« impulsion linguistique » ; selon Volkov, il estimait qu'il était non seulement possible mais inévitable que les décisions cruciales de son existence fussent atteintes tout d'abord dans un poème que lui avait dicté la nécessité interne du

elle pourrait aussi bien caractériser la révolution hugolienne. Avec Hugo, pour la première fois, le langage est placé au poste de commande : « Le mot, c'est le Verbe, le Verbe c'est Dieu. » Il se laisse délibérément mener par les mots, car « les mots sont les passants mystérieux de l'âme [1] ». Gardien des mots, le poète est investi de pouvoirs prophétiques : il est le guide qui conduira l'humanité à la Vérité.

Chez Hugo, cette religion du langage était assise sur des fondations solides : sa maîtrise des mots était incomparable, et il la devait plus à ses dons innés qu'à la qualité de son éducation. Fils d'un père plébéien qui, de soldat révolutionnaire, devint un général de Napoléon, et d'une mère aux ancêtres vaguement aristocratiques, Hugo reçut une éducation traditionnelle, mais pas spécialement poussée. À l'exception de deux mémorables années passées en Italie et en Espagne (où le général comte Hugo avait été envoyé en mission), Victor grandit à Paris. La stupéfiante précocité de son génie poétique se manifesta dès l'âge de quinze ans et reçut la consécration officielle de prestigieux prix littéraires. Sous la Restauration, le jeune prodige bénéficia du patronage royal. Un ami de la famille rappela qu'il avait un jour entendu Hugo

langage. Le témoignage de Brodsky me semble avoir un poids particulier ; on ne

saurait traiter ses vues à la légère : dans son cas il ne s'agissait pas d'une pose, car pour les atteindre, il avait mis sa liberté et sa vie dans la balance.
1. Pour Hugo, les mots avaient une physionomie, une qualité visuelle, une réalité physique semblables à celles que les caractères d'écriture présentent pour les Chinois : « Les mots ont une figure. Bossuet écrit throne selon cette magnifique orthographe du dix-septième siècle que le dix-huitième a si sottement mutilée, écourtée, châtrée. Ôter l'*h* du *throne*, c'est en ôter le fauteuil. H majuscule, c'est le fauteuil vu de face, h minuscule c'est le fauteuil vu de profil » (*OC, Océan*, « Faits et croyances », p. 153). Paul Claudel (qui n'avait qu'une admiration réticente pour Hugo, bien qu'il partageât des traits essentiels avec lui : ils étaient tous deux des poètes animés d'une inspiration cosmique, qui écrivirent leurs meilleures œuvres en prose) a fait des observations similaires sur la nature idéographique de l'écriture alphabétique. Mais Claudel avait bénéficié d'une expérience de la Chine relativement longue et profonde.

se targuer fièrement : « Il n'y a qu'un seul écrivain classique dans notre siècle, un seul, vous m'entendez ? Moi. Je sais le français mieux qu'aucun autre homme vivant. » Ce n'était pas là une creuse vantardise : avec le vocabulaire le plus riche jamais employé par un écrivain depuis Rabelais, son clavier linguistique disposait d'un registre aussi immense et varié que celui des grandes orgues — tour à tour solennel, familier, tonnant, chuchotant, suave, rugissant. Il était capable d'improviser sans effort dans toutes les formes de la prosodie ; il s'exprimait en alexandrins comme si c'était sa langue natale. C'était un excellent latiniste, et il avait une bonne connaissance de l'espagnol. Bien que son anglais fût toujours demeuré atroce (même après vingt années d'exil dans les îles de la Manche, pourtant largement anglophones), il en jouait avec une curiosité et un plaisir inépuisables (les expressions étrangères ont toujours une certaine qualité magique quand on ne comprend pas vraiment la langue). Les termes techniques de tous les métiers stimulaient son imagination ; il explora l'argot de la pègre, les langages secrets des mondes du crime et de la prison ; sa maîtrise du vocabulaire nautique (navigation, architecture navale, gréements, voilures, manœuvres et matelotage) est exhaustive, étonnante, et rigoureusement exacte [1].

Durant ses voyages, il collectionnait dans ses carnets tous les mots étrangers, les noms bizarres, sonores ou ridicules qui avaient frappé son attention dans les rues, sur des affiches, des avis officiels, des enseignes de boutiques. Il avait une inlassable prédilection pour tous les jeux de mots (« Le

---

1. On n'a pas encore suffisamment apprécié le fait que Hugo est l'un des plus grands écrivains de la mer — mais j'espère bien pouvoir le montrer dans une anthologie que je prépare en ce moment (*La mer dans la littérature française, de Rabelais à Michaux*). Et, au passage, remarquons de surcroît qu'il exerça une influence directe sur la double vocation maritime et littéraire de Joseph Conrad. Dans *A Personal Record*, Conrad évoque les romans de Victor Hugo parmi les lectures les plus mémorables de son enfance ; on sait par ailleurs que son père, Apollon Korzeniowski, avait traduit en polonais *Les Travailleurs de la mer*, de même que plusieurs autres ouvrages de Hugo, romans et pièces de théâtre.

calembour est la fiente de l'esprit qui vole », remarque un personnage des *Misérables*) — à commencer par les variations polyglottes qu'il improvisait sur son propre nom (« Ego Hugo », « Hue, go ![1] »); non seulement ses carnets témoignent de cette obsession, mais à l'occasion il alla même jusqu'à étendre ces jongleries verbales à sa création poétique la plus grave et la plus solennelle. Dans son justement célèbre « Booz endormi » (Proust n'était pas le seul à le considérer comme le plus grand poème de la langue française, le plaçant encore plus haut que les œuvres de son cher Baudelaire [2]), Hugo, en peine de trouver une rime pour parachever son poème, fabriqua un nom sur la base phonétique d'un impudent jeu de mots. Ceci aurait pu ressembler à une espièglerie de lycéen, et dans le majestueux contexte de ce poème, l'effet d'une pareille intrusion devrait être grotesque : elle est sublime [3].

Arrivé à ce point-là, le serviteur du verbe en est vraiment

1. Il avait adopté « Ego Hugo » pour devise. Quant à « Hue, go ! », c'est un jeu de mots franglais qu'il inventa après son expulsion de Jersey (où ses activités politiques avaient indisposé les autorités locales) :

> *J'entends en tous lieux sur la terre*
> *Un bon tutoiement compagnon,*
> *Et du Hu de la France au Go de l'Angleterre,*
> *Les deux syllabes de mon nom.*

(*OC, Océan*, « Moi, l'amour, la femme », p. 311.)

Son propre nom demeura pour Hugo un constant thème d'inspiration, et plus particulièrement un motif graphique fréquemment traité dans sa peinture.

2. « Je tiens Baudelaire pour le plus grand poète du XIXᵉ siècle. Je ne veux pas dire par là que s'il fallait choisir le plus beau poème du XIXᵉ siècle, c'est dans Baudelaire qu'on devrait le chercher. Je ne crois pas que dans toutes *Les Fleurs du mal* [...] on puisse trouver une pièce égale à "Booz endormi". » Et il enchaîne avec deux pages d'analyse subtile et pénétrante de ce poème. (Voir « À propos de Baudelaire », *in* Marcel Proust, *Contre Sainte-Beuve, Pastiches et mélanges, essais et articles*, « La Pléiade », Gallimard, Paris, 1971, p. 618-620).

3. « Tout reposait dans Ur et dans Jérimadeth ». *Jérimadeth* (qui rime avec *demandait*, trois vers plus bas) résonne comme un nom de lieu biblique, mais en fait il n'existe aucun endroit correspondant à cette appellation : c'est tout simplement la transcription phonétique de « J'ai rime à *dait* ».

devenu le créateur et maître. Un jour, quelqu'un lui reprochait (dans une autre circonstance) d'avoir inventé un mot qui n'existait dans aucun dictionnaire : « Ce n'est pas français. » « Maintenant ce l'est », répondit Hugo [1].

Une bonne partie des malheurs de ce monde est causée par des gens dont l'unique talent est de savoir se faufiler dans des positions pour lesquelles ils n'ont nulle compétence. En revanche, combien d'hommes de valeur sont condamnés à l'obscurité faute d'une seule capacité : le don de se pousser eux-mêmes en avant ? Hugo fut une rare exception : un homme prodigieusement doué, mais qui sut aussi se faire l'imprésario efficace et astucieux de son propre personnage. Tôt dans sa carrière (comme Graham Robb le décrit bien), il a découvert comment se concilier les faveurs des gens influents ; mais il devinait également à quel moment — et jusqu'à quel point — il pouvait devenir judicieux de les offenser. À l'âge de vingt ans, il obtint une pension du roi Louis XVIII (récompense d'une ode sycophantique), mais sept ans plus tard il déclina une autre pension du successeur de Louis, l'impopulaire Charles X. Vers 1840 et peu après, il entretint des relations personnelles et cordiales avec le roi Louis-Philippe, mais sans compromettre son indépendance ni devenir un courtisan. Ainsi, en mélangeant avec habileté le sens du respect avec une certaine fronde, il réussit à se faire bien voir des autorités sans pour autant s'aliéner la dévotion enthousiaste de ses jeunes admirateurs ; d'en haut, il continuait à recevoir des récompenses officielles, mais cela ne l'empêchait nullement de jouir du soutien des poètes à gilet rouge et autres artistes chevelus. Il devint chevalier de la Légion d'honneur à vingt-trois ans — un âge exceptionnelle-

1. De ce point de vue, on peut mieux comprendre pourquoi les surréalistes et les tenants de l'écriture automatique ont reconnu Hugo pour leur précurseur. André Breton entérina ce lien de famille : « Hugo est surréaliste quand il n'est pas stupide. »

ment précoce pour une telle distinction : comme il arborait son nouveau ruban en voyage, il se fit arrêter par un gendarme qui le soupçonnait d'imposture !

La tumultueuse représentation d'*Hernani*, en 1830, consacra sa situation de chef de file du mouvement romantique. Il avait vingt-huit ans. Mais le fait d'être reconnu comme l'inspirateur de la révolution littéraire ne l'empêcha nullement, quelques années plus tard, d'être accueilli dans la prestigieuse forteresse du conservatisme littéraire, l'Académie française. Et en politique, il en alla de même : la droite ne lui tint pas rigueur de son iconoclasme de bon aloi, il devint pair de France. Ainsi, avant même d'être parvenu au milieu de son existence, il avait déjà atteint tous les objectifs et décroché tous les honneurs que les écrivains et les politiciens ambitieux mettent normalement toute une vie à obtenir. « Le succès est un malheur inévitable de l'existence, mais ce n'est qu'aux plus infortunés qu'il survient précocement », a observé Trollope. C'est vrai — mais seulement pour nous autres qui formons la terne majorité. En revanche, pour un homme comme Hugo qui était *vraiment* ambitieux (je veux dire : qui aspirait à une authentique grandeur), ce rapide succès fut une bénédiction : il se trouva débarrassé du souci de réussir, et put tourner son attention vers des choses plus sérieuses. La compétition frénétique pour toutes les minables babioles dont l'éclat nous tient infatigablement en haleine dans l'arène sociale jusqu'à ce que nous crevions en piste était déjà finie pour lui, alors qu'il était encore dans toute la vigueur de la jeunesse. Rubans, honneurs, titres, prix, médailles, toutes les récompenses pitoyables, les ridicules carottes derrière lesquelles nous galopons docilement durant une vie entière, il avait tout ramassé dès la première moitié de sa carrière ; quel sens y aurait-il encore eu pour lui à s'échiner un autre demi-siècle, afin simplement d'ajouter quelques bricoles supplémentaires à cette poussiéreuse collection ?

À mi-route, il se retrouva donc soudain libre — libre de

tout risquer, de devenir enfin lui-même, d'être idéaliste, brave, généreux, hardi et noble ; libre d'épouser une fois pour toutes la cause de la justice, cette « perpétuelle fugitive du camp des vainqueurs ». En 1851, quand Louis Bonaparte, qui avait « empaillé l'Aigle », avec sa « blême figure de monte-en-l'air », effectua son coup d'État contre la République, et restaura l'Empire pour devenir Napoléon le Petit, le Poète se dressa face au despote — bien qu'il sût parfaitement que sa cause était sans espoir — et il prêta sa voix aux victimes, aux vaincus, aux humiliés, aux « misérables ». Il tenta d'organiser la résistance populaire contre l'usurpateur, en vain, car la police secrète de Louis Bonaparte avait déjà la situation bien en main. En l'espace d'une nuit, Hugo dut tout abandonner : sa position, son public, sa maison, sa ville bien-aimée, son pays ; il dut se cacher et fuir, il n'était plus qu'un fugitif dont la tête était mise à prix, acculé à un exil définitif.

Tout d'abord, Hugo se réfugia à Bruxelles ; puis, de là, il gagna les îles anglo-normandes : il résida un temps à Jersey, et finalement s'installa à Guernesey. Cet exil devait durer vingt ans. Maintenant il pouvait dire enfin : « La révolution littéraire et la révolution politique ont opéré en moi leur jonction. » Quelle libération ! La jeunesse avait soudain fait irruption dans sa vie : « Ceux qui deviennent jeunes tard le restent longtemps [1]. » Lui-même devait le rester jusqu'à sa mort, en 1885, à l'âge de quatre-vingt-trois ans.

Les écrits de Hugo sont pleins de vues prophétiques sur son propre destin : quelque vingt ans plus tôt, réfléchissant sur la vie de Rubens durant une première visite en Belgique, il avait observé : « Un grand homme a deux naissances : la première comme homme, la seconde comme génie [2]. » L'exil fut vraiment la seconde naissance de Hugo — la plus grande chance

1. Cité *in* Claude Roy, *Victor Hugo, témoin de son siècle*, J'ai Lu, Paris, 1972, p. 13-14.
2. Cité *in* Jean-Marc Hovasse, *Victor Hugo chez les Belges*, Le Cri, Bruxelles, 1994, p. 27.

de sa vie. Et il eut la sagesse de le comprendre. Au bout de trois ans de cette nouvelle existence, il notait :

« Je trouve de plus en plus que l'exil est bon.
Il faut croire qu'à leur insu, les exilés sont près de quelque soleil car ils mûrissent vite.
Depuis trois ans [...], je me sens sur le vrai sommet de la vie et je vois les linéaments réels de tout ce que les hommes appellent faits. Histoire, événements, succès, catastrophes, machinisme énorme de la Providence.
Ne fût-ce qu'à ce point de vue, j'aurais à remercier M. Bonaparte qui m'a proscrit, et Dieu qui m'a élu.
Je mourrai peut-être dans l'exil, mais je mourrai accru.
Tout est bien. »

Cinq ans plus tard :

« Quel dommage que je n'aie pas été exilé plus tôt ! J'aurais fait bien des choses pour lesquelles je sens que le temps va me manquer. »

Huit ans plus tard :

« Dans l'exil j'ai dit le mot qui explique toute ma vie : "J'ai grandi" [1]. »

À ses brillants débuts parisiens, il avait occupé le centre d'un cercle bouillonnant d'admirateurs, de collègues, de suiveurs, de curieux et de parasites divers. Sa maison était envahie du soir au matin par d'interminables cohortes de visiteurs ; il n'avait plus même le temps de répondre à son courrier, sa porte demeurait ouverte en permanence. Maintenant, bien rares étaient ceux de ses anciens compagnons des beaux jours qui trouvaient encore le courage de braver les brouillards et les coups de vent de la Manche pour faire leur pèlerinage au rocher de l'exilé, et qui avaient l'audace de défier le réseau d'espions et de policiers dont la surveillance pesait sur tous les contacts extérieurs de Hugo. En consé-

1. *OC, Océan*, p. 273, 276 et 286.

quence, le poète se retrouva bientôt avec seulement deux interlocuteurs — mais ceux-ci au moins étaient à sa mesure : Dieu et l'océan.

Il n'est pas étonnant que ces années de solitude et de contemplation aient été les plus fécondes de toute sa vie ; ce furent aussi des années heureuses — pour lui à tout le moins, sinon pour sa famille (sa fille Adèle devint folle ; sa femme [1] et ses fils adultes, supportant mal leur isolement, regagnèrent finalement Bruxelles, où Hugo venait de temps à autre leur rendre visite à l'occasion de quelqu'une de ses excursions continentales).

La plupart de ses chefs-d'œuvre datent de cette période, culminant en 1862 avec le monumental *Les Misérables*, qui est moins un roman, au sens conventionnel du mot, qu'un immense poème en prose, peut-être la dernière (sinon la seule) épopée de l'âge moderne. La passion que Hugo nourrissait pour le langage a trouvé là son déversoir le plus vaste et le plus fou. Le livre est un Niagara de mots, écumant et mugissant ; c'est aussi une ahurissante bigarrure de pièces rapportées : non seulement le fil du récit est constamment interrompu par des considérations socio-politico-philosophiques, mais il y a encore d'innombrables morceaux de comédie, de drame, de satire, des épisodes d'une action haletante ; il y a de tendres élégies, des croquis réalistes, d'immenses fresques historiques ; des essais sur les sujets les

1. Adèle Foucher (1803-1868) et Victor Hugo s'étaient aimés depuis l'adolescence. Quand ils se marièrent, lui avait vingt ans, elle, dix-huit ; ils étaient vierges tous deux, et passionnément amoureux. Rapidement, toutefois, le feu de leur union retomba ; Adèle n'éprouvait guère d'intérêt pour la poésie et l'ardeur physique avec laquelle Victor Hugo lui exprimait sa passion la laissa péniblement abasourdie. Son jeune époux, à qui le mariage venait de révéler les extases de la chair, entreprit bientôt de poursuivre ses explorations dans ce domaine avec d'autres partenaires plus accueillantes. Néanmoins, Adèle remplit ses devoirs et lui donna cinq enfants. À l'exception d'un seul écart, qui survint relativement tôt, elle exerça avec dignité son rôle d'épouse et de mère ; toute sa vie elle servit loyalement la gloire de Hugo et, jusqu'au bout, lui apporta son indéfectible soutien.

les plus hétéroclites (la structure de l'argot, l'économie du recyclage des égouts), un prodigieux étalage de curiosités encyclopédiques (sur un modèle dont Jules Verne se souviendra) ; et en même temps, ces mille fragments hétérogènes sont tous charriés par l'élan unanime d'un vaste fleuve aux affluents innombrables.

Sa nature même aurait dû condamner un tel ouvrage à demeurer intraduisible. Et pourtant il fit bientôt partie de l'imaginaire universel, touchant des millions de lecteurs dans des douzaines de langues différentes [1]. Quel mystérieux pouvoir habite donc l'original, pour qu'il réussisse à survivre à des traductions parfois maladroites, et à conserver son rayonnement, même dans des formes simplifiées ou mutilées ? *Les Misérables* possèdent une puissante dimension mythique qui s'alimente aux sources profondes de notre commune humanité. C'est de la littérature populaire — dans le sens où Homère est de la littérature populaire : une littérature qui s'adresse aux hommes de tous les temps et de toutes les cultures.

Le livre fut d'abord publié à Bruxelles (1er avril 1862) ; d'autres éditions suivirent rapidement, de façon presque simultanée, à Paris, Madrid, Londres, Leipzig, Milan, Naples, Varsovie, Saint-Pétersbourg, Rio de Janeiro [2]. D'emblée, son succès fut universel ; la publication originale avait été retardée à l'imprimerie par les larmes des typographes qui s'étaient plongés dans la lecture des pages dont ils devaient

---

1. L'empreinte que *Les Misérables* laissèrent sur plusieurs générations d'intellectuels en Chine et au Japon, par exemple, est une question qui mériterait une étude particulière ; cela m'a frappé en lisant, il n'y a guère, dans une importante revue culturelle chinoise de Hong Kong, un entretien entre Jin Yong et Ikeda Daisaku au sujet de Victor Hugo. Jin Yong est un écrivain célèbre, auteur de romans historiques immensément populaires en Chine (on l'a surnommé l'« Alexandre Dumas chinois ») et Ikeda est le fondateur et chef du mouvement politico-religieux Soka Gakkai (voir le mensuel *Ming Bao*, janvier 1998, p. 82-88). Rien qu'à Bruxelles, durant les deux semaines qui suivirent la première impression du premier volume, *onze* éditions piratées sortirent de presse (voir Hovasse, *op. cit.*, p. 98).

composer des épreuves; leur émotion et leur enthousiasme furent bientôt partagés par les lecteurs les plus divers, français et étrangers, jeunes et vieux, naïfs ou blasés. À l'autre extrémité de l'Europe, Tolstoï se procura un exemplaire sans tarder et fut conquis. On peut dire sans exagération que *Les Misérables* ont précipité la création de *La Guerre et la Paix* [1]. Les géants engendrent des géants.

La prodigieuse fécondité de Hugo durant ses années d'exil trouva encore un autre débouché — plus intime, mais pas moins intense — dans son activité picturale. Les critiques n'ont certes pas ignoré celle-ci, mais il semble cependant que cet aspect de son génie n'ait pas encore reçu toute l'attention qu'il mérite. Par exemple, au lieu de parler des « dessins » de Victor Hugo, il serait plus exact de dire : ses « peintures » — suivant en cela un usage emprunté à l'esthétique chinoise (pareille référence est d'autant moins incongrue que Hugo par ailleurs s'est intéressé à la Chine [2]). Aux yeux des

---

1. Tolstoï travailla à *La Guerre et la Paix* de 1863 à 1868. Il lut *Les Misérables* en février 1863, au moment où il entrait dans la phase de gestation décisive de son entreprise la plus ambitieuse. L'œuvre de Hugo lui révéla toutes les possibilités de contrepoint entre, d'une part, le large mouvement épique de l'histoire, et, d'autre part, les épisodes particuliers de destinées individuelles, ainsi que la façon de confronter des personnages de fiction avec des figures historiques (voir *Tolstoy's Diaries*, édition et traduction de R.F. Christian, Flamingo, Londres, 1994, p. 154, 158 et 508).

2. L'intérêt de Hugo pour la Chine a revêtu deux aspects : dans les affaires politiques, il fait montre d'un souci humanitaire constant et a vigoureusement stigmatisé les expéditions militaires que lançait l'Occident contre la Chine (jusqu'à ce jour, les Chinois se souviennent encore de ses généreuses interventions). Dans le domaine culturel, toutefois, la perception qu'il avait de la Chine n'a pas dépassé le niveau superficiel de la chinoiserie, qui était alors à la mode. On peut rêver à ce qu'eût été sa réaction s'il avait pu contempler d'authentiques échantillons de la grande peinture chinoise (les libres improvisations à « l'encre éclaboussée » des moines de l'époque Song, les évanescents lavis des lettrés Yuan, les « jeux d'encre » des excentriques Ming et Ch'ing), mais le fait est qu'il n'a jamais soupçonné l'existence d'un tel art. En revanche, il a cultivé la chinoiserie avec une verve grotesque, une réjouissante exubérance, qui désarme par sa fantaisie et sa naïveté. Durant son exil, il conçut et bricola tout un « salon chinois »

connaisseurs chinois, tous les ouvrages graphiques, « les jeux d'encre », que les hommes de lettres improvisent à leurs moments de loisir, en utilisant simplement les instruments et matériaux dont ils se servent pour écrire (pinceau calligraphique, encre, papier), sont considérés non seulement comme des peintures au plein sens du terme, mais bien mieux que les grands ouvrages des peintres professionnels — entachés ceux-ci de « vulgarité » artisanale — ils représentent la perfection même de l'art de peindre : ils constituent en effet une « empreinte du cœur » de l'artiste.

Delacroix disait que, en peinture, « le plus grand de tous les tours de force, c'est l'introduction de la réalité au milieu d'un songe [1] ». Et c'est bien cela qui explique la puissance hallucinante des visions que Hugo a tracées au pinceau : si inquiétants et sauvages que soient ses cauchemars, son imagination y est toujours soutenue par une rigueur technique, un sens du détail réel qu'il avait acquis grâce à une longue pratique du travail d'après nature ; surtout durant ses premiers voyages en Belgique et en Allemagne, Hugo avait pris l'habitude de noter à la plume, au lavis ou au crayon, la physionomie des monuments et des sites célèbres qu'il visitait — ses carnets de croquis représentaient vraiment pour lui ce que l'appareil photographique est devenu pour le touriste moderne.

Hugo a écrit : « Tout grand artiste à son avènement refait l'art tout entier à son image [2]. » C'est particulièrement vrai de sa peinture, dont l'originalité formelle est plus radicale que celle de ses écrits. Il publiait ce qu'il écrivait ; il ne montrait pas ce qu'il peignait (sauf à quelques intimes) ; le public

---

pour sa maîtresse, avec lambris gravés, bahuts et fauteuils sculptés, paravents bariolés. (Cet étonnant ensemble a été déménagé à Paris et reconstitué dans la Maison de Victor Hugo, place des Vosges.)

1. Voir *Journal d'Eugène Delacroix*, édité par André Joubin, Plon, Paris, 1932, vol. II, p. 88.

2. *OC, Océan*, p. 191.

capable d'apprécier un tel art n'était pas encore né — pour qu'on commence à vraiment le comprendre, il aura fallu le regarder à la lumière des expérimentations plastiques du xxᵉ siècle.

L'exil de Hugo prit fin à la chute du Second Empire. Son retour en France fut triomphal [1] et les quinze dernières années de sa vie se déroulèrent comme une longue apothéose. Il continua à produire : poèmes, discours politiques, essais polémiques (l'éloquence féroce de *Histoire d'un crime* [1877] contribua à sauver la République de la menace d'un nouveau coup d'État), et un ultime et magnifique roman, *Quatrevingt-treize*. Mais même la mort ne put mettre fin à sa carrière : la publication posthume de ses papiers privés (carnets, brouillons, fragments en prose et en vers, correspondance, etc.) — qui égalent en quantité ce qui fut publié de son vivant, et quelquefois même l'éclipsent encore en intérêt — s'est poursuivie presque sans interruption pendant trois quarts de siècle.

Il y a quelques années, Graham Robb a publié une splendide biographie de Balzac. Il a maintenant appliqué toutes les ressources d'un talent éprouvé (jugement aigu, style alerte, information vaste et solide) à sa biographie de Hugo. Si son *Victor Hugo* n'offre pas exactement les mêmes plaisirs au lecteur, ce n'est pas, je crois, la faute du biographe ; il serait en effet injuste et sot de notre part d'espérer qu'une même

1. Julien Gracq a relevé un ahurissant aspect de cet épisode, qui, je crois, n'avait pas été remarqué avant lui : « La mégalomanie pourtant chez lui est allée loin. Ses notes de la fin d'août 1870, lorsqu'il rentre de Guernesey, ne laissent là-dessus aucun doute : il a espéré fermement que la France allait lui offrir la dictature. Ce n'était même plus le *Napoléon et moi* de Chateaubriand, c'était bel et bien *Napoléon ou moi* : "Je dirai : la dictature est un crime. Ce crime, je vais le commettre. J'en porterai la peine. Après l'œuvre faite, que j'échoue ou que je réussisse, quand même j'aurais sauvé la République et la Patrie, je sortirai de France pour n'y plus rentrer. Coupable du crime de dictature, je m'en punirai par l'exil éternel" » (J. Gracq, *Œuvres complètes*, « La Pléiade », Gallimard, Paris, 1995, vol. II, « Lettrines 2 », p. 323).

recette appliquée à un objet différent puisse produire un résultat semblable.

Balzac est désarmant : il inspire l'affection. En revanche, s'il fallait caractériser la personnalité de Hugo, cent adjectifs se présenteraient aussitôt à l'esprit, mais « désarmant » ne serait certainement pas du nombre. En fait, c'est précisément quand on a affaire à des figures comme celle de Hugo qu'on est tenté de se demander, une fois de plus, s'il est vraiment souhaitable — voire simplement concevable — d'écrire des biographies d'écrivains.

Le problème n'est pas seulement que les géants ne gagnent jamais à être regardés de trop près (comme Gulliver le découvrit à sa plus vive détresse quand il eut à escalader le sein d'une dame à la cour de Brobdingnag); plus profondément, il y a cette simple évidence : la seule chose qui eût pu justifier notre curiosité est celle-là même qui échappera toujours à l'investigation du biographe : le mystère de la création artistique. Le long exil de Hugo fut le sommet de son existence; mais une seule phrase suffirait pour le raconter : il s'est installé devant l'océan, et il a écrit.

La thèse selon laquelle toute biographie littéraire est nécessairement vouée à l'échec n'est pas neuve et ce sont les artistes créateurs qui l'ont défendue avec le plus d'éloquence — tout le monde connaît le *Contre Sainte-Beuve* de Proust, inutile d'y revenir ici. Plus près de nous, Malraux a bien résumé la question : « Notre époque croit aux secrets dévoilés. D'abord, parce qu'elle pardonne mal son admiration, ensuite parce qu'elle espère obscurément, parmi les secrets dévoilés, trouver celui du génie. [...] Sous l'artiste, on veut atteindre l'homme. Grattons jusqu'à la honte la fresque : nous finirons par trouver le plâtre [1]. » Mais bien avant lui, l'indignation qu'un poète peut éprouver devant notre indiscret appétit d'information biographique avait été mémora-

---

1. André Malraux, *Les voix du silence*, Gallimard, Paris, 1952, p. 416-418.

blement exprimée par Pouchkine : « Si la foule lit des confessions, notes privées, etc., avec tant d'avidité, c'est que, dans sa bassesse, elle se réjouit de contempler les humiliations des grands et les faiblesses des puissants ; en découvrant toute espèce de vilenies, elle est enchantée : il est petit comme nous ! il est vil comme nous ! — Vous mentez, canailles ; oui, il est petit et vil, mais différemment : pas comme vous [1] ! »

Notez que je suis très conscient de mes propres contradictions. Si mes lecteurs ont pu tirer quelque plaisir de ces réflexions, ils ne doivent pas oublier que c'est de l'ouvrage de Robb que j'ai tiré une bonne part de mes matériaux. Et au moment même où je mets en question le principe des biographies littéraires, je sais trop bien que je continuerai à en lire — surtout lorsqu'elles sont aussi intelligentes et spirituelles que celle-ci.

---

1. Pouchkine attaquait dans une lettre la curiosité indécente avec laquelle des gens cherchaient à s'informer sur la vie privée de Byron. Cité *in* Volkov, *op. cit.*, p. 141.

IV

PROTÉE : UN PETIT ABÉCÉDAIRE D'ANDRÉ GIDE

À vrai dire, je ne sais pas ce que je pense de lui. Il n'est jamais longtemps le même. Il ne s'attache à rien, mais rien n'est plus attachant que sa fuite. Vous le connaissez depuis trop peu de temps pour le juger. Son être se défait et se refait sans cesse. On croit le saisir... C'est Protée *. Il prend la forme de ce qu'il aime. Et lui-même, pour le comprendre, il faut l'aimer.

André Gide,
Les faux-monnayeurs [1]

André Gide compte parmi les rares écrivains qui me donnent la nausée.

Flannery O'Connor,
L'habitude d'être [2]

---

* Les noms ou les mots suivis d'un astérisque font l'objet d'une rubrique de mon abécédaire.

1. Charles Du Bos utilisa cet extrait du plus ambitieux roman de Gide, en guise d'épigraphe pour son *Dialogue avec André Gide* (1928), un essai critique qui jeta la brouille dans leur vieille amitié.

2. Lettre du 17 mars 1956 à Shirley Abbott. Voir *Letters of Flannery O'Connor : The Habit of Being* (choisies et éditées par Sally Fitzgerald), Farrar,

Ce petit abécédaire (quelque peu capricieux) de l'énigme gidienne a trouvé son prétexte initial dans la lecture de l'ouvrage d'Alan Sheridan, *André Gide : a Life in the Present* (Harvard University Press, 1999). Le massif volume de Sheridan (sept cents pages) est un modèle de recherche méticuleuse. Pour mieux apprécier ce qu'a accompli le biographe, il faut considérer l'immensité de sa tâche. Gide a passé sa longue vie la plume à la main : en plus des quelque soixante livres qu'il a écrits (essais, romans, théâtre, récits de voyage, critique, poésie, traductions littéraires), il a tenu pendant plus de cinquante ans un *Journal*[1] qui compte plusieurs milliers de pages. Les divers membres de son petit cercle intime étaient tous adonnés à la même graphomanie. En tout premier lieu, Maria Van Rysselberghe — surnommée la Petite Dame* —, qui le connut durant un demi-siècle, et fut la plus proche compagne (ou faudrait-il plutôt dire : la complice ?) de ses trente dernières années (dans la mesure toutefois où il serait possible de tenir compagnie à une aussi glissante anguille), a consigné jour après jour ses propos, ses faits et gestes, ses visites et rencontres, la conversation de ses amis. Ces archives familières où l'observation pétille d'intelligence et de vie remplissent quatre volumes, environ deux mille pages bourrées d'informations. Les meilleurs amis de Gide étaient également des écrivains : Roger Martin du Gard, Jean Schlumberger, Pierre Herbart*. Après sa mort, ils ont chacun publié leurs souvenirs du Gide

---

Strauss & Giroux, New York, 1979, p. 147. Dans l'édition française, *L'habitude d'être*, Gallimard, Paris, 1984 (abrégée mais bien traduite, et accompagnée d'une remarquable présentation de Gabrielle Rolin), p. 127.

1. La « Bibliothèque de la Pléiade » a publié deux éditions différentes du *Journal* de Gide. Les citations que j'emprunte au volume I se réfèrent à l'édition de 1949 ; celles du volume II, à l'édition de 1997. Mais les citations de « *Et nunc manet in te* » renvoient à l'ancien volume II (édition de 1960).

qu'ils avaient connu. La figure de Gide occupe également une place importante dans le *Journal*, monumental et fascinant, de Martin du Gard (trois volumes, trois mille cinq cents pages), ainsi que dans les journaux de Schlumberger [1]. Quand ils étaient à la campagne, dans leurs résidences respectives, les amis s'écrivaient de longues lettres : la correspondance Gide-Martin du Gard et Gide-Schlumberger comporte trois volumes (mille quatre cents pages). En outre, Gide poursuivait une correspondance régulière avec un grand nombre de relations littéraires : éditeurs, écrivains, artistes, poètes, critiques — sa situation de cofondateur et principal soutien financier (avec Schlumberger et Gallimard) de la prestigieuse *Nouvelle Revue française* (revue littéraire et maison d'édition) avait pratiquement fait de lui l'éminence grise de la littérature française de l'époque ; ce qui a été publié de sa correspondance avec Valéry, Claudel, Jammes, Mauriac, Jouhandeau, Romains, Suarès, Rivière, Copeau, Du Bos, Cocteau, E. M. Blanche, Arnold Bennett, Edmund Gosse, Rilke, Verhaeren, etc., représente quelque vingt mille pages [2].

Aussi, le premier et principal problème qui se pose au biographe de Gide n'est pas de rassembler l'information, mais de

1. La bibliographie de Sheridan est remarquablement complète. Cependant, quelques ouvrages importants ont paru depuis la publication de son livre : Jean Schlumberger, *Notes sur la vie littéraire, 1902-1968*, Gallimard, Paris, 1999 (abrégé ci-après en Schlum.), et Béatrix Beck, *Confidences de gargouille*, Grasset, Paris, 1998, dans lequel un chapitre évoque la période où Gide l'employa comme secrétaire (abrégé ci-après en Beck). En outre, il faut encore mentionner le premier volume d'une nouvelle biographie due à Claude Martin, *André Gide ou la vocation du bonheur, 1869-1911*, Fayard, Paris, 1999. Enfin, « la Pléiade » a publié deux nouveaux volumes : André Gide, *Essais critiques*, Gallimard, Paris, 1999 ; *Souvenirs et voyages*, 2001. Le premier englobe la presque totalité de ses textes de critique (« presque » : les essais sur la musique — Chopin — et sur la peinture — Poussin — ont été inexplicablement omis). En fin de compte, il se pourrait bien que ce volume représente la part la plus durable de l'œuvre de Gide.

2. En sus de ces correspondances individuelles, il y a encore la correspondance générale (inventoriée par Claude Martin) : vingt-cinq mille lettres !

trouver le moyen de ne pas s'y noyer. Sheridan a réussi à contrôler ce raz-de-marée littéraire et à l'organiser de façon claire et synthétique. Cependant, tout comme on ne saurait canaliser un fleuve sauvage sans infliger quelque dommage à ses rives, la discipline que Sheridan a dû imposer à ses riches matériaux n'était peut-être pas entièrement compatible avec les luxuriantes ambiguïtés et contradictions de son sujet. Simplement pour faire une sorte de contrepoids aux certitudes que les lecteurs de Sheridan pourraient retirer de sa magistrale étude, le principal objet de mes petites notes discontinues est d'offrir une mise en garde contre la tentation de conclure. Il faut conserver à Gide sa nature insaisissable — car il fut vraiment le grand maître de l'évasion intellectuelle, le Houdini de la littérature moderne [1].

ANTISÉMITISME

En 1914 — c'était alors un homme mûr et un écrivain établi — après avoir déjeuné avec son vieil ami et ancien condisciple Léon Blum, Gide nota dans son *Journal* [2] combien il respectait l'intelligence et la culture de Blum, mais aussi combien son caractère juif l'indisposait :

« Pourquoi parler ici de défauts ? Il me suffit que les qualités de la race juive ne soient pas des qualités françaises ; et lorsque ceux-ci (les Français) seraient moins intelligents, moins endurants, moins valeureux de tous points que les Juifs, encore est-il que ce qu'ils ont

1. Harry Houdini (1874-1926), de son vrai nom Erich Weiss, se prétendait originaire du Wisconsin mais semble en fait être né à Budapest. Ayant fabriqué son nom de théâtre à partir de celui de son modèle, l'illusionniste Jean Eugène Robert-Houdin (1805-1871), il s'est rendu célèbre par de spectaculaires numéros d'évasion : il se faisait ligoter et enchaîner, on lui passait une camisole de force, on l'enfermait dans un sac ou dans une caisse que l'on jetait à l'eau, et il réussissait toujours à se dégager. Dans les pays anglo-saxons, le nom même de Houdini évoque l'art de s'échapper et de disparaître.
2. *Journal I*, p. 396-398 (24 janvier 1914).

à dire ne peut être dit que par eux, et que l'apport des qualités juives dans la littérature, où rien ne vaut que ce qui est personnel, apporte moins d'éléments nouveaux, c'est-à-dire un enrichissement, qu'elle ne coupe la parole à la lente explication d'une race et n'en fausse gravement, intolérablement la signification.

« Il est absurde, il est dangereux même de nier les qualités de la littérature juive ; mais il importe de reconnaître que, de nos jours, il y a en France une littérature juive qui n'est pas la littérature française [...]. [Les Juifs] parlent plus facilement que nous, parce qu'ils ont moins de scrupules. Ils parlent plus haut que nous, parce qu'ils n'ont pas les raisons que nous avons de parler parfois à demi-voix, de respecter certaines choses.

« Je ne nie point, certes, le mérite de quelques œuvres juives, mettons les pièces de Porto-Riche par exemple. Mais combien les admirerais-je de cœur plus léger si elles ne venaient à nous que traduites ! Car que m'importe que la littérature de mon pays s'enrichisse si c'est au détriment de sa signification. Mieux vaudrait, le jour où le Français n'aurait plus force suffisante, disparaître plutôt que de laisser un malappris jouer son rôle à sa place, en son nom. »

Quelques années plus tard (août 1921), il confiait au petit cercle de ses intimes l'irritation et le désappointement que lui avait causé *Sodome et Gomorrhe*, tout récemment paru. Il blâmait la méthode de Proust : « Je considère que sa manière révèle plus d'avarice que de richesse : oui, le besoin de ne rien, rien laisser perdre, l'addition constante au lieu de l'épargne. » Et il attribuait ce trait à son ascendance juive [1] : « Le Juif n'a pas de gratuité [2]. »

En 1929, recommandant à la Petite Dame la lecture d'un nouveau roman de Henri Duvernois (un écrivain dont il avait précédemment fait un éloge dithyrambique), il ajoute : « Vous verrez [...], c'est excellent ; mais je trouve qu'il montre

---

1. La mère de Proust était juive, comme aussi, semble-t-il, celle de Montaigne. Sans mentionner cela, Gide fait une très stimulante comparaison entre les deux écrivains dans le bel article qu'il consacra à Proust (repris à l'origine dans *Incidences*, et reproduit maintenant dans *Essais critiques, op. cit.*, p. 289-293).
2. Voir Maria Van Rysselberghe, *Les cahiers de la Petite Dame*, Gallimard, Paris, 1973 (abrégé ci-après en *Cahiers*), vol. I, p. 99.

ses limites. Oh! ce n'est pas qu'il n'ait la sensibilité la plus subtile, mais il manque de... [*il cherche*]... de virginité. Ce serait très curieux de faire l'histoire de la littérature juive [*il vient d'apprendre que Duvernois est juif*] [...] souvent le Juif salit un peu le sujet qu'il traite [1]. » Et quelques jours plus tard, bavardant avec des amis sur le même sujet, il déclare : « Évidemment, cela me gêne toujours qu'on soit juif; c'est comme pour Duvernois, quand j'ai su qu'il s'appelait Kahn Ascher, j'ai mieux compris les petites choses qui me gênent dans ses livres, malgré ma très réelle admiration [2]. »

Deux ans plus tard (mai 1931), déjeunant avec des amis : « On parle d'antisémitisme [...]. Gide dit en riant : "Par exemple, je n'aimerais pas me laisser infuser du sang juif. — Et du sang nègre? dit Bussy. — Ah! bien volontiers. — Et du sang arabe? — Moins [3]." »

En 1935 (alors que les événements politiques allemands ne se déroulaient pourtant pas sur une autre planète!), Gide commente une représentation du théâtre d'art yiddish d'Amérique : « Ce que je m'habitue mal à ces visages barbus, et même quand ils sont beaux, je n'arrive pas à sentir pour eux nul attrait [...]; l'idée d'un contact avec eux me révulse, je n'arrive pas à expliquer pourquoi; je crois que je me sens plus près des animaux [4]. »

Après la guerre, à la fin de sa vie, il continuait à faire de temps à autre des remarques insultantes sur le caractère juif devant sa secrétaire, Béatrix Beck, une jeune veuve dont le mari, mort peu d'années auparavant, était juif [5]!

Et pourtant, dans le cas de Gide, une accusation d'antisémitisme serait-elle vraiment justifiée? On pourrait tout aussi bien lui coller une étiquette de stalinien et de bolche-

1. *Cahiers II*, p. 22.
2. *Cahiers II*, p. 30.
3. *Cahiers II*, p. 146.
4. *Cahiers II*, p. 439.
5. Beck, p. 91.

vique, ou d'antistalinien et d'anticommuniste, de chrétien, d'antichrétien, de partisan défaitiste de la collaboration avec Hitler, de sympathisant de la résistance antinazie, de libertaire, d'autoritaire, de rebelle, de conformiste, de démagogue, d'élitiste, de pédagogue, de corrupteur de la jeunesse, de prédicateur, d'imprécateur, de moraliste, de débauché...

La littérature* était sa préoccupation exclusive, le but même de son existence; en dehors de cela — comme il le proclama lui-même à diverses reprises [1] — « seuls la pédérastie et le christianisme » pouvaient le passionner et soutenir durablement son intérêt. Sur tous autres sujets — qui lui demeuraient d'ailleurs essentiellement indifférents — il n'avait pas d'opinion arrêtée; ses vues étaient vagues, contradictoires, mal informées, incertaines, inconstantes, influençables, banales, hésitantes, conventionnelles. Herbart*, qui fut son confident le plus intime et son constant compagnon durant les vingt dernières années de sa vie, a noté que, le plus souvent, il pensait simplement en clichés bourgeois qui auraient pu sortir tout droit du *Dictionnaire des idées reçues* de Flaubert; après avoir mentionné une autre de ces remarques stupidement offensantes de Gide (« J'ai quelque peu souffert de n'avoir pu hier causer qu'avec des Juifs »), Herbart commente sans ambages : « Tout cela ne signifie exactement rien. Il "pense" par procuration [2]. »

J'ignore dans quelle mesure une aussi innocente explication pourra satisfaire la plupart des lecteurs — mais Blum à tout le moins l'aurait certainement acceptée, car, même s'il fut blessé à la lecture de ces passages du *Journal* que je viens de citer, son affection pour Gide n'en fut nullement affectée [3].

---

1. *Cahiers III*, p. 303. Voir également *infra*, p. 101, note 1.
2. Pierre Herbart, *À la recherche d'André Gide*, Gallimard, Paris, 1952 (abrégé ci-après en Herbart), p. 36.
3. Blum écrivit à Gide, en janvier 1948, lui exprimant sa profonde amitié, mais avouant que ces passages du *Journal* l'avaient peiné. (Voir *Journal II*, p. 1054 et

En conclusion : il serait facile de rassembler une collection de preuves établissant l'antisémitisme de Gide (en toute justice, il faudrait d'ailleurs y ajouter quelques propos moins déshonorants — voir par exemple, dans son *Journal,* le texte du 18 décembre 1942) ; mais, fort probablement, pareil dossier, tout accablant qu'il pût paraître, ne constituerait qu'une fausse piste et n'aboutirait qu'à un malentendu. Avant de poursuivre la lecture de mon abécédaire, cette première rubrique pourrait donc utilement servir de mise en garde méthodologique.

BIOGRAPHIE

André Gide est né en 1869. Bien qu'il soit mort au milieu du xxe siècle, il demeure à bien des égards un écrivain du xixe.

C'était un enfant unique ; son père était un universitaire distingué (professeur de droit romain), un homme fragile et raffiné qui mourut trop tôt pour marquer son fils de son influence : André le perdit à l'âge de onze ans. La mère, dont l'affection était envahissante et le tempérament autoritaire, descendait d'une lignée de riches négociants normands ; elle donna à son fils une austère éducation protestante. Très tôt, Gide éprouva un conflit aigu entre les sévères exigences de la religiosité maternelle et les besoins non moins tyranniques de sa précoce sensualité. Toutefois, ce ne fut qu'en 1895, lors d'un voyage en Algérie, qu'il découvrit enfin — sous la supervision d'Oscar Wilde en personne — l'orientation particulière et exclusive de sa sexualité*. Cette même année, sa formidable mère mourut, et, « l'ayant perdue, il la remplaça aussitôt par la personne qui lui ressemblait le plus » : deux

---

1502, note 4.) Après la mort de Blum, en 1950, sa veuve vint trouver Gide et lui dit : « Il vous aimait plus que vous ne l'aimiez. Vous n'étiez pas seulement son *meilleur* ami, mais son *seul* ami. » Gide fut touché, mais se sentit quelque peu perplexe. (Voir Schlum., p. 330.)

semaines plus tard, il annonça ses fiançailles avec sa cousine Madeleine*, nièce de sa mère, qui était sa compagne chérie depuis sa plus tendre enfance. Leur mariage ne fut jamais consommé, Gide ayant toujours présumé que seules les femmes de mauvaise vie pouvaient s'intéresser aux activités de la chair. Quarante-trois ans plus tard, quand Madeleine à son tour vint à mourir, Gide éprouva à nouveau ces mêmes sentiments d'amour, d'angoisse et de libération qu'il avait ressentis à la mort de sa mère, et « il nota que sa mère avait fini par se confondre avec sa femme, de façon subtile et quasi mystique [1] ».

Gide avait hérité d'une fortune considérable, et sa femme était plus riche encore ; il eut donc toute liberté de vouer sa longue vie à la littérature. Il passait son temps à lire et à écrire — il écrivait principalement sur ce qu'il avait lu — ainsi qu'à voyager. En même temps, la religion continuait à revendiquer son âme, et la pédérastie son corps. Ce conflit atteignit son paroxysme en 1916, quand les interventions pressantes, et parfois maladroites, de ses amis catholiques (au premier rang desquels figurait Claudel) l'amenèrent tout près de la conversion. Il résista toutefois aux séductions de la religion, et finit par choisir résolument de persévérer dans une obsession sexuelle qui, au cours des années, devait progressivement acquérir les proportions pathologiques d'une manie.

À partir de son tout premier ouvrage, *Les cahiers d'André Walter* (publié en une édition privée, aux frais de sa mère, en 1891), l'activité littéraire de Gide ne s'est jamais ralentie. Il est difficile de résumer sa production ; comme il l'a dit lui-même : « Chacun de mes livres se retourne contre les *amateurs* du précédent [2]. » Jean Prévost décrivit cette attitude en une formule que Gide approuva : « Il ne se confronte pas, il se succède [3]. » Ses métamorphoses n'étaient pas le produit de

1. Sheridan, p. 127.
2. *Journal I*, p. 787 (24 juin 1924).
3. Jean Prévost, *Caractères*, cité in *Cahiers IV*, p. 121.

contradictions dialectiques, elles reflétaient une succession d'avatars imaginatifs : Protée se réinvente lui-même de façon ininterrompue.

Celle de ses œuvres qui exerça la plus vaste influence, le livre qui le consacra comme le *guru* de la révolte contre l'ordre bourgeois, comme le maître à penser d'au moins trois générations successives de jeunes gens, c'est *Les nourritures terrestres* (1901). Martin du Gard se demandait si l'on ne pourrait pas lui appliquer ce que Sainte-Beuve disait de « ces livres utiles », mais qui « n'ont qu'un temps » parce que « les générations qui en profitent les usent [1] ». Un autre problème avec ce genre d'ouvrages, c'est qu'ils inspirent habituellement quantité de médiocres imitations, et nous finissons inévitablement par les lire à travers le prisme de leurs vulgaires caricatures. C'est ainsi qu'aujourd'hui, hélas !, *Les nourritures terrestres* ne nous rappellent rien tant que le kitsch de Khalil Gibran [2]...

Le talent particulier que Gide avait pour les récits brefs, à mi-chemin entre la nouvelle et le roman, s'est manifesté d'abord dans *La porte étroite* (1909), pour atteindre sa perfection avec *La symphonie pastorale* (1919). Ces deux ouvrages doivent leur force à la tension intérieure de cette inquiétude religieuse qui le tourmentait encore à l'époque. Dans le second, en particulier, l'ambiguïté spirituelle est entretenue avec une habileté diabolique, et, en dépit de ses dialogues artificiels et de la froideur maniérée du style, le livre touche une corde profonde, et pourrait bien être un chef-d'œuvre. Dans ses longues entreprises romanesques, plus ambitieuses,

1. Cité par Roger Martin du Gard, *Notes sur André Gide*, Gallimard, Paris, 1951 (abrégé ci-après en Martin), p. 90.
2. Khalil Gibran (1883-1931), poète, penseur et artiste américain né au Liban ; il étudia les beaux-arts à Paris avant de se fixer à New York, où il vécut jusqu'à sa mort. Son ouvrage le plus célèbre est *Le prophète* (1923), un livre mystique composé de poèmes en prose, qui devint un best-seller traduit dans une vingtaine de langues. Son style sentimental et incantatoire exerça une influence énorme (on en trouve de fâcheux échos jusque dans *Citadelle* de Saint-Exupéry).

Les caves du Vatican (1914) et *Les faux-monnayeurs* (1925), il trahit malheureusement le fait qu'il n'est pas un romancier : il manque de souffle et n'a guère d'imagination. Ces livres eurent du succès en leur temps, mais ils n'ont pas bien vieilli. Mauriac avait probablement raison quand il remarquait, un demi-siècle plus tard, que les romans de Gide étaient déjà tombés en poussière, tandis que — ô paradoxe ! — ceux d'Anatole France (dont la génération surréaliste s'était si cruellement moquée) avaient conservé une surprenante fraîcheur [1].

En 1924, il publia *Corydon**, une apologie de l'homosexualité. Son argumentation est maladroite, et sa sincérité plus limitée qu'il ne paraît tout d'abord ; il faut néanmoins reconnaître qu'il fit preuve d'un considérable courage en découvrant ses batteries à ce moment-là, et d'une manière aussi publique.

Par deux fois, il intervint vigoureusement dans le débat politique — bien que son manque notoire de sens des réalités* l'eût mal préparé à jouer un rôle dans les affaires publiques. Après un long voyage en Afrique noire (Congo français et Tchad, 1925-1926), il dénonça avec éloquence l'exploitation coloniale dont étaient victimes les populations indigènes. Ensuite, durant les années trente, il devint — assez sottement, cette fois — un compagnon de route du communisme stalinien. Mais ses fonctions d' « idiot utile » ne durèrent guère : un bref voyage en Union soviétique eut tôt fait de le dessiller. Bien sûr, il n'avait pas besoin d'être doué d'une vue extraordinairement perçante pour apercevoir l'énorme évidence qu'on lui mettait sous le nez ; il n'en reste pas moins qu'il fit preuve d'un assez exceptionnel courage en livrant ses impressions de voyage au public avec une franchise

---

1. François Mauriac, *Bloc-notes*, Seuil, Paris, 1993, vol. III, p. 499 (28 février 1964).

qui confinait parfois à la naïveté [1]. Rentré à Paris, il rédigea aussitôt une relation véridique et mordante de sa déconvenue. Contre toute attente, une sorte de justice naturelle vint récompenser son audace : *Retour de l'URSS* (1936) remporta un prodigieux succès : ce petit livre iconoclaste fut réimprimé huit fois en l'espace de dix mois, et il s'en vendit cent cinquante mille exemplaires ; à la fin de 1937, il avait été traduit en quatorze langues. Aucun des autres ouvrages de Gide n'avait jamais connu un triomphe aussi foudroyant [2].

Presque jusqu'à sa mort (en 1951), Gide continua à écrire, polir et éditer son *Journal* — probablement son œuvre la plus remarquable. Mais en dehors de ses propres écrits, il joua un rôle important sur la scène littéraire par le truchement de l'influente *Nouvelle Revue française* qu'il avait fondée en 1909 avec quelques amis. (Quand les nazis occupèrent la France, Otto Abetz, qui dirigeait la politique culturelle allemande, observa : « Il y a trois puissances en France : le communisme, les grandes banques et la *Nouvelle Revue française*. »)

Gide reçut le prix Nobel de littérature en 1947. Le communiqué officiel du Comité Nobel était typiquement vague, mais Gide y fit une réponse claire :

« Si vraiment j'ai représenté quelque chose, je crois que c'est l'esprit de libre examen, d'indépendance et même d'insubordination, de protestation contre ce que le cœur et la raison se refusent à approuver. Je crois fermement que cet esprit d'examen est à l'origine de notre culture. C'est cet esprit que tentent de réduire et de bâillonner aujourd'hui les régimes dits totalitaires, de droite et de gauche [...]. Ce qui importe ici, c'est la protection, la sauvegarde de cet esprit "sel de la terre", qui peut encore sauver le monde [...] ; la

1. Car Gide témoigne en fait d'une ahurissante *naïveté* devant l'horreur soviétique. Son incompréhension de la tragédie de Boukharine, venu lui rendre une dernière visite désespérée, est un épisode *atroce* dans le livre de Herbart *La ligne de force* (Gallimard, 1958 ; édition « Folio » 1980, p. 114-116).
2. Sheridan, p. 127.

lutte du petit nombre contre la masse, de la liberté contre toute forme de dictature; des droits de l'homme et de l'individu contre l'oppression menaçante, les mots d'ordre, les jugements dictés; les opinions imposées; lutte de la culture contre la barbarie [1]. »

CARACTÈRE

Gide avait le génie de l'amitié. Tous ceux qui étaient en contact intime et constant avec lui l'aimaient. Mis à part la sénilité qui finit par l'affecter durant ses toutes dernières années, produisant des tensions qui menacèrent parfois l'harmonie de son petit cercle « familial », toute sa vie sa seule présence semble avoir constitué un enchantement permanent, une stimulation constante pour son entourage. « Un bon caractère est la plus égoïste de toutes les vertus », avait déjà observé Hazlitt; et, en effet, c'est son colossal égocentrisme qui permettait à Gide de manifester à tous une imperturbable bienveillance. Son égoïsme était absolu — sur ce point, ceux qui le connaissaient le mieux ne pouvaient entretenir aucune illusion [2] — et donc il était aussi tolérant et facile à vivre : son humeur invariablement plaisante [3] reposait sur l'assise d'une granitique indifférence à tout ce qui ne touchait pas directement sa personne [4]. Il avait une capacité de bonheur

1. André Gide, Roger Martin du Gard, *Correspondance*, Gallimard, Paris, 1968, vol. II, Annexes, p. 554-555.
2. À la mort de sa femme, Madeleine, Gide fut terrassé de douleur. La Petite Dame commenta : « Quand Gide dit que sa femme est la personne qu'il a le plus aimée au monde, je le crois, je suis même sûre que c'est exact. Mais prétendre qu'il l'a plus aimée que lui-même, c'est faux. Il ment. Il n'a jamais su rien aimer plus que lui-même. » (Voir Schlum., p. 346.) Sur l'égoïsme de Gide, voir également Herbart, p. 49-55.
3. Dans ses vieux jours (il avait alors soixante-treize ans), il confia à la Petite Dame « qu'il n'avait que très rarement connu la colère, et que c'est pour lui une sensation délicieuse, comme une détente » (*Cahiers III*, p. 293).
4. Son meilleur ami, Roger Martin du Gard, acquit finalement une vue plus sombre de ce que la morale gidienne pouvait coûter aux autres. Dans une lettre à sa fille (20 avril 1936), il formula cette mise en garde : « L'exemple de Gide est

irrépressible et désarmante — comme il le confiait à la Petite Dame : « C'est inouï la difficulté que j'ai à ne pas être heureux [1] ! »

Gide donnait vie à tout ce qu'il touchait, la routine et la stagnation étaient bannies de son existence. Il était dans un état de disponibilité permanente, d'attente vibrante de ce que le prochain moment allait lui apporter. Jamais il ne s'installa vraiment nulle part : « Ce qu'il me faut, c'est le changement : je ne puis décidément m'accommoder de l'habitude [2]. » Il ne pouvait rester longtemps au même endroit, ni physiquement

---

un exemple funeste. Son bonheur s'édifie sur des ruines. Sa joie est toute faite des souffrances d'autrui. Je ne le condamne pas. Mais si j'envie parfois ce bonheur, cette joie, cette liberté, ce n'est qu'une envie superficielle qui m'atteint par surprise, aux points faibles de l'égoïsme. Au fond du fond, d'un tel bonheur par piétinement d'autrui, je n'en voudrais pas. Gide ne s'est jamais réellement senti engagé par rien, par aucun acte ; rien que le bon plaisir et la tentation du moment. C'est un sophisme attrayant, rien de plus. Les limites de la liberté sont fixées par la présence d'autrui. Passer outre n'est qu'un geste de faux courage. J'ai d'autres règles de vie, à tort ou à raison, et je suis trop embarqué pour les changer » (Roger Martin du Gard, *Journal*, Gallimard, Paris, 1993, vol. II, p. 1177).

1. *Cahiers I*, p. 31. Il dit cela en 1919 — à peine un an après avoir traversé la seule tragédie de son existence. En 1934, encore : « C'est extraordinaire le mal que j'ai à être de mauvaise humeur ! quand j'ai des ennuis, parfois je m'y efforce, mais en vain » (*Cahiers II*, p. 416). Et finalement en 1949, deux ans avant la fin de sa longue vie : « Malgré un pessimisme noir, noir, opaque quant à l'avenir et que je n'aime pas à avouer, et malgré ma diminution physique, je n'arrive pas à être malheureux » (*Cahiers IV*, p. 146). Même les catastrophes domestiques ne réussissaient pas à le démonter ; ainsi, un jour, comme sa magnifique bibliothèque menaçait d'être détruite par une trombe d'eau dévalant d'un tuyau crevé dans le plafond de l'appartement, et que, malade, il dirigeait les opérations de sauvetage en criant ses instructions depuis son lit : « Laissez les Meredith et sauvez mes Conrad ! », la conclusion que lui inspira le désastre fut ce mot spontané : « Comme cela aurait amusé Catherine ! » Quelques années plus tard, l'accident se répète : « Nouvelle inondation dans la bibliothèque de Gide, plus catastrophique encore que la première et qui ruine une partie de ses livres. Il prononce bien que c'est affreux mais en dépit de tout et de lui-même, l'événement surtout l'excite. » Le lendemain il avoue à la Petite Dame : « Savez-vous le plus clair résultat de la catastrophe d'hier ? C'est que j'ai très bien travaillé » (*Cahiers III*, p. 124, et *IV*, p. 57).

2. *Cahiers II*, p. 417.

ni mentalement [1]. Il a passé plus de temps dans des chambres d'hôtel et dans des maisons amies que dans son propre appartement — lequel présentait du reste l'aspect délaissé, inconfortable, lugubre, impersonnel et inhospitalier d'un abri temporaire et rarement habité, avec des ampoules sans abatjour suspendues au bout de leur fil, et des boules de camphre entassées au creux des fauteuils. En un sens, toute son existence n'était qu'une longue vacance; son loisir était illimité, sa liberté totale; et sa fortune inépuisable. Il n'avait pas de responsabilités familiales, pas d'obligations professionnelles. À tout moment, si la fantaisie l'en prenait, il pouvait se mettre en route vers quelque destination exotique; et à son retour, il allait se reposer à la campagne, à la mer ou à la montagne, dans les splendides résidences de ses diverses accointances, où il jouissait de tous les privilèges d'un invité d'honneur — et d'un parasite sans vergogne. La plupart de ses initiatives étaient prises sous le coup d'une inspiration subite, tous ses déplacements étaient dictés par l'humeur ou le caprice. Pour un observateur superficiel, cette vie de bohème luxueuse et sans souci aurait pu présenter une apparence aussi trompeuse que la vue d'une abeille dérivant de fleur en fleur par un bel après-midi d'été : l'insecte paraît joyeusement ivre de soleil et de parfums, mais en fait il est poussé sans trêve par l'unique et absorbant besoin de délivrer une nouvelle cargaison de nectar à sa fabrique de miel. Comme Herbart l'a relevé avec finesse [2], la *gratuité* lui était absolument étrangère (ce qui est d'ailleurs ironique, si l'on considère qu'il inventa dans un de ses romans la notion de l'« acte gratuit » !) : chez lui, « impressions, lectures, choses et êtres sont classés, jugés, en fonction d'un seul critère : l'utilité. Au point d'amener un tic de langage : il ne dira pas : "J'aime ce livre; ce livre est beau", mais : "J'ai trouvé grand

1. Sheridan, p. 587.
2. Herbart, p. 54.

profit à la lecture de... ; quel enseignement m'a apporté la découverte de..." ».

Ce qui rachetait cette façon de toujours tout ramener à soi — et qui rendait sa compagnie si agréable et si enrichissante pour ses intimes —, c'était son insatiable et dévorant appétit de découverte, sa curiosité polymorphe. Béatrix Beck se rappelle combien elle a trouvé enthousiasmant d'être sa secrétaire ; à l'époque, elle écrivit à sa sœur : « Je ne m'intéresse plus qu'à Gide, partant, je m'intéresse à tout [1]. » Gide avait l'habitude de terminer ses lettres avec l'expression de courtoisie « Attentivement vôtre ». Pour lui, il ne s'agissait pas là d'une formule creuse ; il faisait effectivement attention à son interlocuteur, quel qu'il fût — et c'est en cela que résidait la rare qualité du dialogue* gidien. Et d'ailleurs, son attention ne se portait pas seulement sur les gens ; il semble qu'elle s'étendait à toutes les créatures. Ainsi, par exemple, la Petite Dame décrit une scène typique : « Au déjeuner, au milieu d'une conversation palpitante, il s'interrompt tout à coup pour examiner une mouche qui a un petit parasite sur une de ses pattes ; dans ce domaine-là, rien ne passe inaperçu à ses yeux [2]. » Ou encore, quand il était allé rendre visite à Hermann Hesse en Suisse — Gide venait de se voir décerner le prix Nobel de littérature, et Hesse devait le recevoir l'année suivante —, durant cette toute première rencontre entre les deux illustres écrivains (précédemment, ils n'avaient fait que correspondre) l'attention de Gide fut entièrement accaparée par une chatte qui venait d'avoir des chatons [3]. Ainsi, l'entrevue se passa fort agréablement : Hesse était captivé par Gide, et Gide était captivé par le chat de Hesse.

Cependant, dans ses rapports avec autrui, on pourrait lui appliquer ce que Suarès disait de Goethe : « Il n'a que faire

---

1. Beck, p. 152.
2. *Cahiers II*, p. 140.
3. Sheridan, p. 587.

d'un homme, en reconnût-il le mérite, s'il n'en peut rien tirer pour son propre accroissement [1]. » Sa curiosité demeurait constamment en éveil, mais elle était prompte à glisser vers un autre objet. La chaleur instantanée de son accueil n'avait d'égale que la soudaineté avec laquelle il pouvait congédier l'infortuné visiteur qui avait cessé de l'intéresser. Ou encore, il se montrait incapable de reconnaître dans la rue des personnes avec qui il venait peu auparavant d'avoir une longue conversation, chaleureuse et intime : il avait épuisé leur utilité, il les avait déjà effacées de sa mémoire [2]. Si, bien souvent, de nouvelles connaissances ne pouvaient retenir longtemps son attention, il en allait de même avec les créatures nées de sa propre imagination : il lui était difficile d'écrire de longs romans, car, bien vite, ses personnages commençaient à l'ennuyer [3]. Il travaillait sans cesse, cependant (sa sévère éducation calviniste lui avait inculqué une profonde aversion pour la paresse et le gaspillage), mais il ne pouvait poursuivre longtemps la même tâche; et ceci explique d'ailleurs pourquoi ce sont les réflexions discontinues de son *Journal*, quelques brefs récits et diverses notes critiques qui représentent le meilleur de son œuvre.

---

1. Martin, p. 94.
2. Son incapacité à reconnaître les visages était notoire et donna souvent lieu à des incidents embarrassants ou grotesques. Voir par exemple *Cahiers I*, p. 196.
3. Ceci a été relevé par divers critiques et connaisseurs. Par exemple : « André manque d'un don essentiel aux vrais romanciers : il est incapable de s'ennuyer. Dès qu'un être n'a plus de piquant pour lui, sa curiosité tombe. Il en va de même pour les personnages de ses livres : en général, vers la cent cinquantième page, ses créatures commencent à ne plus l'intéresser; alors il boucle vite un dénouement comme un pensum » (propos de Jacques Copeau, reproduit *in* Martin, p. 30).

CATHERINE

Catherine, la fille de Gide, est née en 1923. Sa mère, Élisabeth Van Rysselberghe (1890-1980), était la fille de la Petite Dame. Élisabeth, qui avait été brièvement la maîtresse de Rupert Brooke [1], regrettait amèrement de n'avoir pu donner naissance à un enfant du poète. En 1920, elle crut un moment être enceinte des œuvres de Marc Allégret, cet adolescent dont Gide était l'amant. À cette nouvelle, Gide ne se tint plus de bonheur; il dit à sa vieille amie, la potentielle grand-mère : « Ah! chère amie, nous sommes en train de rendre possible une nouvelle humanité. Il faut que cet enfant soit beau [2]. » Mais cette fois encore, l'espérance d'Élisabeth ne porta pas son fruit. Gide estimait depuis longtemps qu'elle méritait d'avoir un enfant; quelques années auparavant, durant un voyage en train, il lui avait glissé une note : « Je n'aimerai jamais d'amour qu'une seule femme [il pensait à Madeleine, son épouse] et je ne puis avoir de vrais désirs que pour les jeunes garçons. Mais je me résigne mal à te voir sans enfant et n'en pas avoir moi-même [3]. » Finalement, en 1922, sur une plage isolée de la Méditerranée, « il retrouva avec elle toute la liberté qui favorise les dispositions amoureuses [4] ». Catherine naquit l'année suivante.

Gide suivit la croissance de l'enfant avec un intérêt sporadique; il l'observait d'un œil tantôt paternel et tantôt entomologique. Élisabeth finit par se marier avec l'écrivain Pierre

---

1. Rupert Brooke (1887-1915), poète anglais mort à la guerre pendant la campagne des Dardanelles. Aristocratique, beau comme Apollon, il connut une fin prématurée, qui lui a conféré une aura tragique dépassant peut-être les mérites de son œuvre.
2. Sheridan, p. 335; *Cahiers I*, p. 144.
3. Sheridan, p. 294; *Cahiers I*, p. 150.
4. Sheridan, p. 356; *Cahiers I*, p. 151.

Herbart, son cadet de quinze ans (mais Gide assura à la future belle-mère que cette différence d'âge ne devrait pas tirer à conséquence, car Herbart était plus intéressé par les individus de son propre sexe [1]), et Catherine vint vivre avec sa mère et Herbart durant les intervalles de l'éducation qu'elle recevait dans des internats suisses. De temps à autre, elle passait également de brèves vacances avec Gide, lequel l'informa un jour qu'il était son vrai père. La fillette avait treize ans à ce moment, et cette révélation eut un effet complexe sur sa psychologie.

Catherine est rarement mentionnée dans le *Journal* de Gide. En 1942 (sa fille avait alors dix-neuf ans), il nota : « Catherine aurait pu m'attacher à la vie ; mais elle ne s'intéresse qu'à elle-même — et cela ne m'intéresse pas [2]. » Sheridan commente avec pertinence : « En d'autres mots, la fille se comportait comme le père, et le père n'aimait pas ça [3]. »

Elle figure plus souvent dans les chroniques de sa grand-mère, qui remarque : « Ses rapports avec son père sont difficiles [...] ; cela est dû beaucoup à leur ressemblance et à des rapports entre eux mal définis, ce qui est dû aux circonstances ; ils n'ont pas des rapports de père à fille ; il essaie trop de lui plaire et ne sait prendre aucune autorité. Et puis du fait qu'il ne s'impose jamais en père autoritaire, et qu'il se sent d'avance capable de tout comprendre et de presque tout admettre, il se croit trop facilement le bienvenu, oubliant qu'autant que lui Catherine a soif d'indépendance ; c'est autrement que par l'autorité que sa présence peut être lourde à un être jeune [4]. » Cependant, Catherine se sentait plus libre de confier à Martin du Gard ce qu'elle ressentait vraiment. Martin du Gard a ainsi reproduit dans son *Journal* une conversation révélatrice qu'il eut avec elle ; il avait men-

---

1. *Cahiers II*, p. 156.
2. *Journal II*, p. 796 (1er janvier 1942).
3. Sheridan, p. 551.
4. *Cahiers III*, p. 269.

tionné un livre de Gide, mais Catherine répondit qu'elle ne l'avait pas lu; remarquant sa surprise, elle poursuivit :

« "Mais tu sais que je n'ai pour ainsi dire rien lu de ses livres... Non... *Aucune curiosité* pour son œuvre... Je n'ai jamais lu un de ses livres... J'ai commencé quelquefois, et aussitôt le livre me tombe des mains." Devant mon étonnement, elle hésite et déclare tout à coup : "Tu sais que jusqu'à il y a très peu de temps, *je l'ai détesté!* — ? — Mais oui! — Détesté? — Autant qu'on peut détester quelqu'un! reprend-elle avec fermeté. Sa présence m'était odieuse, me rendant absolument malade. Par exemple, voyager avec lui a toujours été un supplice abominable pour moi! — Mais... depuis quand? — Oh, depuis toujours! En tout cas, *depuis que je sais qu'il est mon père.* — Et avant? — Avant, il m'agaçait terriblement, et je n'aimais pas le voir. Mais peut-être que je ne le détestais pas tout à fait. Pas autant qu'après. — Et maintenant?" Elle est gênée par mon regard interrogateur. Elle ne proteste pas; elle refuse manifestement de dire que maintenant elle ne le déteste plus. Elle dit seulement : "Maintenant ce n'est plus tout à fait la même chose... Ça a un peu changé cet été." Je dis : "Il ne s'en est jamais douté? — Non, heureusement [1]." »

Peu auparavant, il avait été convenu que Catherine s'en irait, mais ces projets de départ avaient ensuite dû être abandonnés. « Martin du Gard dit à Gide : "Que vous devez être content que Catherine ne soit pas partie! — Oh, cher ami, plus content que je ne puis dire, surtout que pour l'instant nos rapports sont si charmants." Puis, après un temps : "Si elle était partie, trois jours après, je l'aurais oubliée [2]!" »

Vers la même époque, Gide s'efforça de faire comprendre à Catherine qu'elle jouissait d'une situation privilégiée : « Je suis certain que tu ne te rends pas assez compte de la rareté qu'est la bonne entente de notre groupe, tu crois peut-être que dans les autres familles c'est toujours comme ça [3]. » (Le « groupe » était composé de Gide, de la Petite Dame, d'Élisa-

1. Roger Martin du Gard, *Journal III*, p. 403-404.
2. *Cahiers III*, p. 250.
3. *Cahiers IV*, p. 267.

beth et de Pierre Herbart, son amant, devenu son mari. Au sein de cette petite communauté, Catherine se trouvait donc pourvue de deux papas. Quelle chance, en effet.)

En 1942, Gide partit pour l'Afrique du Nord, où il se trouva bloqué pour tout le restant de la guerre. À la veille de cette longue séparation, les recommandations d'adieu qu'il fit à Catherine consistaient en deux choses : « L'une : "Tu ne sais pas que tu as vraiment raté quelque chose en ne venant pas plus souvent travailler avec moi, je t'aurais appris à dire les vers comme personne ne les dit aujourd'hui." L'autre : "Ne fais jamais rien pour être conforme, pour ressembler aux autres, ne fais que ce qui te plaît profondément." Et il lui cite le conseil de Mme de Lambert à son fils, conseil qu'il admire et qu'il a si souvent cité : "Mon fils, ne faites que les bêtises qui vous amusent [1]." »

En 1945, Catherine donna le jour à une fille, Isabelle. Gide fut ravi de se trouver grand-père. Un an plus tard, Catherine épousa Jean Lambert, un jeune universitaire, spécialiste de la littérature allemande. (Ils eurent encore trois enfants.) Gide se plut beaucoup dans la compagnie de son nouveau gendre. En 1947, le jeune couple l'emmena en voyage à travers la Suisse et l'Italie, mais la façon obsessionnelle avec laquelle le vieillard pourchassait partout les petits garçons devint affreusement incontrôlable et fut une source permanente d'inquiétude pour les voyageurs. En France, à cette époque encore innocente, la célébrité de Gide et son prix Nobel constituaient une protection suffisante contre d'éventuels scandales, mais, une fois à l'étranger, on risquait à tout moment de tomber sur des policiers moins indulgents.

Exactement un demi-siècle auparavant, Gide avait lancé la bombe des *Nourritures terrestres*, avec son fameux « Familles, je vous hais! ». Mais maintenant son étrange tribu commençait à ressembler de plus en plus à une véritable famille dont

1. *Cahiers III*, p. 307.

l'intimité était douce et confortable. Ainsi, quand Herbart dédia un de ses livres à la Petite Dame, Gide en fut très heureux ; la Petite Dame observa : « C'est vraiment une chose charmante, la manière chaude et si authentique qu'il a de se réjouir de ce qui vous arrive d'agréable. Oui, cette attention de Pierre semble le remplir de contentement ; il se réjouit toujours de voir se resserrer les liens entre ceux qu'il aime [1]. » À la fin de 1947, elle nota : « Élisabeth a été frappée comme moi par la constante bonne humeur de Gide, et l'intérêt enjoué qu'il prend à toutes les petites choses de la vie. Elle dit en riant : "Il semble que le 'Familles, je vous hais' est loin ; il dit 'les enfants' englobant Catherine, Jean et les petits, avec un nouvel accent, et il est décidément très attendri par la petite Isabelle dont l'esprit attentif le ravit [2]." » Le nouvel an fut célébré avec toute la « famille » au complet ; la Petite Dame, qui, normalement, n'était pas encline à la sentimentalité, confia son émotion à son journal : « Ce fut léger, tendre et charmant ; jamais je ne nous avais sentis plus unis [3]... »

Dans ses souvenirs, Béatrice Beck ne mentionne Catherine qu'une seule fois. Un jour, comme elle informait la jeune femme : « Roger Martin du Gard a téléphoné », l'autre la reprit aussitôt : « *Monsieur* Martin du Gard ». Et Beck ajoute, un demi-siècle plus tard : « Cette rectification m'a laissé une cicatrice indélébile. Si je n'avais pas eu d'enfant, je serais partie immédiatement [4]. » Ainsi, avec le bénéfice d'une éducation anticonformiste, ce fruit d'une expérimentation audacieuse, ce beau spécimen d'une Humanité nouvelle avait déjà parachevé une boucle complète, et à l'âge d'à peine vingt-sept ans, elle était devenue une petite bourgeoise accomplie avec un sens sourcilleux des préséances, et une claire notion

1. *Cahiers III*, p. 24.
2. *Cahiers IV*, p. 79.
3. *Cahiers IV*, p. 53.
4. Beck, p. 51.

de la manière dont il convient que le personnel subalterne s'adresse à ses supérieurs.

CHOIX

L'indécision, les vacillements, hésitations et contradictions de Gide étaient légendaires parmi ses intimes. Avec lui nulle décision n'était jamais ferme ni définitive; parfois, d'une même haleine, il réussissait à opter simultanément pour une ligne d'action et pour son exact opposé. Il était impossible de prévoir ce qu'il choisirait en fin de compte, et il valait mieux ne même pas s'en enquérir [1]. L'ambiguïté était son élément naturel, il se complaisait dans l'équivoque. Dans tout débat, ses interventions étaient tellement contournées et contradictoires — chaque affirmation étant tempérée d'une réserve, et chaque réserve remise en question par une réflexion après coup — qu'il était impossible de savoir s'il approuvait ou désapprouvait la thèse en discussion [2]. Il adoptait cette même attitude à l'égard de toutes les questions, grandes et petites — qu'il s'agisse de se réconcilier avec Dieu, ou de prendre un café après le déjeuner [3].

Vivant à ses côtés, la Petite Dame disposait d'une position privilégiée pour observer de façon quotidienne ses volte-face et pirouettes mentales et comme, par tempérament, elle était elle-même hardie et décidée, elle décrivait ces perpétuelles acrobaties avec un mélange d'amusement, d'étonnement et d'exaspération. Un jour que Gide se tortillait délicieusement, une fois de plus, sur les charbons ardents de quelqu'une de

1. *Cahiers I*, p. 371.
2. *Cahiers II*, p. 425.
3. Touchant cette question du café (choix entre café normal et décaféiné), une fois, comme il fallait se décider *à l'avance* pour communiquer les instructions à la cuisine, Gide gémit avec désespoir : « Mais vous m'enlevez toutes mes possibilités d'hésitation ! » (*Cahiers IV*, p. 98).

ses crises religieuses, elle coupa court à ses atermoiements :
« Si vous voulez aller vers Dieu, allez-y, mais soyez net [1]! »
Hélas, pour Gide, être acculé à prendre une décision consti-
tuait une indicible torture ; il évitait toujours la ligne droite [2]
et optait d'instinct pour l'oblique : son esprit faisait des
méandres ou progressait « en crochet [3] » ; les problèmes ne
pouvaient être empoignés de front ; il fallait les aborder de
biais et, idéalement, il préférait ne pas les aborder du tout [4]. Il
faisait constamment d'imprudentes promesses, qu'ensuite il
ne pouvait pas tenir, mais il ne savait comment s'inventer
d'échappatoire. Il était perpétuellement déchiré entre, d'une
part, les effusions de son irresponsable spontanéité, et d'autre
part la panique où le plongeait son incapacité à s'acquitter
des obligations qu'il avait étourdiment contractées. D'un
côté, il se sentait en permanence affranchi de tout engage-
ment, et de l'autre il était tourmenté sans relâche par le
remords d'avoir trompé l'attente d'autrui [5].

Par nature, il était fondamentalement un spectateur désen-
gagé : « Si l'action m'intéresse passionnément, je crois qu'elle
m'intéresse davantage encore commise par un autre. J'ai
peur, comprenez-moi, de m'y compromettre ; je veux dire de
limiter par ce que je fais ce que je pourrais faire. De penser

---

1. Béatrix Beck, préface à M. Saint-Clair, *Il y a quarante ans*, Gallimard, Paris,
1968, p. IV. (« M. Saint-Clair » était le pseudonyme de Maria Van Rysselberghe
— tiré du nom de sa propriété de campagne.)

2. « Le chemin droit, dit Gide, ne mène jamais qu'au but » (M. Saint-Clair, *op.
cit.*, « Galerie privée », p. 171).

3. Martin, p. 119 ; *Cahiers III*, p. 18 : « Je ne m'habitue pas à ce que Pierre
[Herbart] appelle si justement la marche en crochet de son esprit, à ses réactions
à retardement qui laissent toujours les autres s'engager avec le sentiment de son
approbation. »

4. « [Gide dit :] " Je me suis toujours très bien trouvé de refuser les problèmes
dans ma vie. " Comme si on pouvait, pensai-je... Mais c'est vrai qu'il refuse de se
poser nettement les problèmes, et c'est bien pourquoi il arrive toujours à plusieurs solutions contradictoires » (*Cahiers IV*, p. 132).

5. *Cahiers IV*, p. 103.

que, parce que j'ai fait ceci, je ne pourrai plus faire cela, voilà qui me devient intolérable [1]. »

Gide évitait toujours de définir ses positions : « Ce qui me gêne, c'est de dessiner mon opinion, de la formuler, et en somme il n'existe presque rien sur quoi je n'aie changé d'opinion [2]. » Il eût certainement souscrit à l'antique sagesse persane : « Quand vous entrez dans une maison, observez toujours où est la sortie. » Le seul domaine où il afficha jamais des vues nettes et un goût stable est l'esthétique littéraire [3] — et encore, même là, dans ses vieux jours il perdit confiance en son propre jugement, qui devint de plus en plus incertain et confus [4].

Diverses raisons peuvent expliquer cette incapacité qu'il éprouvait à jamais demeurer fidèle à une ligne de pensée ou d'action, certaine et définie. Tout d'abord, il doutait de lui-même et était authentiquement inhibé par un manque de confiance en soi : « Que voulez-vous, je n'arrive jamais à croire à l'importance de ce que je dis — la modestie est ma maladie secrète, je sais que c'est difficile à faire comprendre, à faire croire ; modeste, je le suis évidemment moins qu'autrefois, mais c'est un facteur qui joue toujours. » (Il tenait ce propos à l'âge de soixante-dix-sept ans [5]...) Comme divers interlocuteurs l'ont noté, son grand charme provenait de ce que « André Gide ne savait pas qu'il était André Gide ». (Ce ne fut plus tout à fait vrai vers la fin de sa vie, quand il devint

1. Martin, p. 113-114.
2. *Cahiers IV*, p. 149.
3. *Cahiers I*, p. 205.
4. « Voici plusieurs fois que Gide me répète avec insistance : " J'ai grande hâte que vous lisiez ce livre de Faulkner, *Lumière d'août*, que je viens de terminer. — C'est bon ? lui dis-je. — J'attends que vous le lisiez pour le savoir. " Ce genre de propos commence à me gêner » (*Cahiers IV*, p. 202). Il apporte à la Petite Dame *La mort dans l'âme*, de Sartre, dont il vient d'achever la lecture. Elle lui demande : « Eh bien, qu'est-ce que vous en pensez ? — J'attends que vous l'ayez lu pour le savoir ! » Elle remarque en son for intérieur : « Je n'aime pas beaucoup ce genre de responsabilité » (*Cahiers IV*, p. 187).
5. *Cahiers IV*, p. 41.

parfois prisonnier de son personnage — mais dans leur vieillesse beaucoup de grands hommes tombent dans ce piège-là ; peut-être s'agit-il d'un sort presque inévitable.) Plus profondément cependant, son indécision permanente reflétait un *refus* de choisir, car chaque choix entraîne un sacrifice et une perte ; il l'a bien décrit lui-même [1].

Pourtant, un jour il confessa à Martin du Gard combien il lui enviait sa fermeté. La Petite Dame, qui a rapporté ce cri du cœur, ajoute un peu plus loin : « Le mal qu'il a à prendre une décision est vraiment incroyable. Ce n'est pas tant le choix qui lui paraît difficile, mais c'est que ce choix risque de le priver de ce qui pourrait survenir de plus agréable, d'inattendu [2]. »

Il ne pouvait pas contrôler sa gourmandise intellectuelle — dans ses vieux jours, cette absence de contrôle trouva même une expression physique : il se gorgeait de friandises interdites, qui chaque fois le rendaient horriblement malade. La Petite Dame s'en plaignit un jour à Schlumberger : « Si un aliment qu'il ne devrait pas manger le tente, il est incapable d'y résister. Il n'a jamais voulu résister à une envie [...]. Il ne refuse jamais rien. La soustraction est une opération qu'il ignore ; il additionne toujours, fût-ce des choses entièrement contradictoires. Il dira : "L'Académie, jamais", mais il ajoutera : "Occuper le fauteuil de Valéry, pourquoi pas ?" Et ainsi perpétuellement [3]. » Ses propres contradictions ne l'embarrassaient nullement ; à ce genre d'objection, il opposait le mot de Stendhal : « J'ai deux manières d'être : bon moyen d'éviter l'erreur. » Martin du Gard rapporte ce trait — mais il doute qu'il se fût agi là d'une simple boutade [4].

---

1. Voir son brouillon de préface pour une traduction des *Nourritures terrestres* ; texte qu'il a finalement écarté, mais dont la Petite Dame sauva un fragment (voir *Cahiers II*, p. 70). Voir également, la rubrique PROTÉE.
2. *Cahiers IV*, p. 20, 37.
3. Schlum., p. 316.
4. Martin, p. 32-33.

« Si j'avais écouté mes amis, je n'aurais pas publié *un seul* de mes livres [1] ! » Cette observation de Gide est particulièrement vraie pour *Corydon* : ses intimes furent frappés de panique quand il manifesta l'intention de prendre publiquement la défense de l'homosexualité. Ils lui déconseillèrent vivement de poursuivre un tel projet, estimant que cela donnerait des armes à ses ennemis, ruinerait son autorité morale et détruirait sa réputation. Mais leurs appréhensions mêmes, semblait-il, ne firent que l'éperonner davantage dans cette voie risquée (il a fréquemment avoué que le risque présentait pour lui une séduction particulière). À Martin du Gard, qui l'implorait d'être prudent et de ne rien précipiter, il répondit : « Je n'en peux plus d'attendre... Il me faut obéir à une nécessité intérieure, plus impérieuse que tout ! Comprenez-moi. J'ai besoin, *besoin*, de dissiper enfin ce nuage de mensonges dans lequel je m'abrite depuis ma jeunesse, depuis mon enfance... J'y étouffe [2] ! » Martin du Gard pensait qu'il était poussé dans cette entreprise par une vieille habitude héritée de son éducation protestante : un besoin de se justifier (qu'il conserva toute sa vie) et aussi, peut-être, une volonté inconsciente d'expiation héroïque, « je ne sais quel appel du martyre [3] ». Sa femme, Madeleine, dont le regard pouvait sonder son âme, fit la même observation tandis qu'elle tentait de le dissuader de son projet : « J'ai peur qu'une sorte de soif de martyre, si j'ose employer ce mot pour une mauvaise cause, te pousse à cela [4]. » Et à Schlumberger, qui croyait que la publication de *Corydon* allait le discréditer, il rétorqua

1. Herbart, p. 67.
2. Martin, p. 45.
3. *Ibid.*
4. *Cahiers I*, p. 12.

« Tu parles du crédit que j'enlèverai à tout ce que je pourrai dire d'autre; mais est-ce que je ne le regagnerai pas par la liberté que cela me donnera? [...] Nous ne sommes pas nés pour refaire ce qui est déjà fait, mais ce que personne n'a fait avant nous [...]. Ne crois-tu pas qu'à la longue je regagnerai de ce fait un crédit beaucoup plus grand? Quelle force que celle d'un homme qui n'a plus rien à ménager! [...] Je suis suffoqué par le malentendu qui fait de ce que j'écris un jeu pervers, une recherche gratuite de la complication. Je veux fermer la bouche à ceux qui m'accusent de dilettantisme en leur montrant l'homme que je suis [1]. »

Gide publia donc; non seulement on ne le réprouva pas, mais on finit même par lui décerner le prix Nobel. À l'époque, toutefois, nul n'aurait pu prédire ce résultat; et, en 1924, il fallait un réel courage pour plaider publiquement en faveur des homosexuels. De ce point de vue, le livre conserve une portée historique — même si on ne le lit plus guère, et bien que son raisonnement pèche par une logique boiteuse.

L'argumentation de Gide, développée avec un luxe d'exemples qui confine à l'absurde, consiste à montrer que l'homosexualité, loin d'être contre nature (comme y insistent ses critiques traditionnels), est en fait partout présente dans la Nature. Mais les diverses preuves tirées des sciences naturelles ne s'adressent pas au fond de la question. Bien entendu, on admet volontiers qu'il existe de nombreux cas, scientifiquement observés, de chevaux homosexuels, de baleines homosexuelles, de hannetons homosexuels, etc. : après tout, la Nature ne constitue-t-elle pas le plus vaste musée des horreurs qu'on puisse concevoir? Pestes et tremblements de terre, moutons à deux têtes et veaux à six pattes : tout ce qui *est* est dans la Nature (à l'exception de quelques productions de l'âme humaine, telles que la cathédrale de Chartres, la calligraphie de Mi Fu, la musique de Bach, etc.).

1. Schlum., p. 132.

Des catalogues exhaustifs de phénomènes naturels ne sauraient rien prouver ici, ni dans un sens, ni dans l'autre. De plus, non seulement il devrait être relativement aisé de démontrer que des cas d'homosexualité peuvent se manifester naturellement au sein de diverses espèces, mais on pourrait même soutenir (et c'était à tout le moins l'opinion de Samuel Johnson [1]) que, bien au contraire, c'est l'union monogamique et définitive d'un homme et d'une femme qui va « à l'encontre de la *nature* » — car en fait il s'agit là précisément d'une des plus glorieuses créations de la *culture*; cette réalité est du reste entérinée par la plupart des grandes religions, qui considèrent justement que, dans la majorité des circonstances, la permanence de l'état de mariage ne saurait être assurée sans une certaine assistance *surnaturelle*. La question qui devrait donc nous préoccuper avant tout n'est pas de savoir ce que peuvent fabriquer des bipèdes nus dans leur originel état de nature, mais bien de découvrir de quelle façon des personnes revêtues de culture auraient le plus de chances d'atteindre la plénitude de leur humanité.

Le second problème que pose *Corydon* vient de ce que, dans sa description de « l'amour grec », Gide célèbre une liaison idéalisée dans laquelle un adulte attentionné initie un adolescent non seulement au plaisir des sens, mais surtout aux bonheurs plus élevés du savoir et de la sagesse — le rôle de l'aîné étant donc moins celui d'un amant que celui d'un éducateur et d'un guide [2]. C'est ici que réside précisément le

1. Boswell, *Life of Johnson* (31 mars 1772) : « *A question started, whether the state of marriage was natural to man.* JOHNSON : *Sir, it is so far from being natural for a man and woman to live in a state of marriage, that we find all the motives which they have for remaining in that connection, and the restraints which civilized society imposes to prevent separation are hardly sufficient to keep them together.* »
2. Et même, aux yeux des honnêtes gens de l'Antiquité, la pédérastie présenta-t-elle jamais ce caractère d'élévation morale ? On peut en douter. Sinon, comment comprendre, par exemple, le passage où Marc Aurèle, faisant l'éloge des multiples accomplissements vertueux de son père adoptif, l'empereur Anto-

défaut le plus grave de son livre : dans la mesure où Gide prétend y avoir vraiment révélé « l'homme qu'il était » et y avoir « dissipé le nuage de mensonges » qui avait pesé sur son enfance et sa jeunesse, *Corydon* est essentiellement frauduleux, car les frénétiques activités sexuelles de Gide et tout particulièrement la monomanie de sa vieillesse n'étaient nullement pédérastiques à la mode antique [1], mais relevaient carrément et sordidement de la pédophilie : les voyages de Gide en Afrique du Nord et dans les zones misérables de l'Europe méridionale représentaient pour son époque l'équivalent de ces *sex tours* qui, de nos jours, amènent par avions entiers de riches touristes occidentaux dans les bordels d'enfants de l'Asie du Sud-Est. Les homosexuels se montrent d'ordinaire très désireux de se dissocier clairement de ces pratiques-là, et ils soulignent — non sans raison d'ailleurs — que leur orientation sexuelle n'implique pas plus d'inclination à la pédophilie que ce n'est le cas des hétérosexuels. Toutefois, quand ils souhaitent trouver en Gide un avocat de leur cause, ils feraient certainement mieux de s'interroger d'abord, sinon sur la valeur morale, du moins sur la sagesse tactique d'un tel choix.

DIABLE

En 1920, comme Gide était en train de rédiger son récit autobiographique *Si le grain ne meurt*, il expliqua à Martin du Gard : « Chose curieuse, cher : si je pouvais emprunter la terminologie chrétienne, si j'osais introduire dans mon récit le personnage de Satan, aussitôt tout deviendrait miraculeusement clair, facile à conter, facile à comprendre... Les choses

---

nin le Pieux, mentionne tout spécialement les efforts qu'il fit pour supprimer la pédérastie ? (Voir Marc Aurèle, *Méditations* I, 16.)

1. Sheridan élude largement cette question, qu'il expédie en un seul paragraphe, p. 377.

se sont toujours passées pour moi comme si le Diable existait, comme s'il était constamment intervenu dans ma vie [1]... »

À ce moment-là, il a déjà atteint un certain détachement ironique à l'égard de ce sujet qui, quelques années plus tôt, l'avait hanté de façon angoissante. Depuis l'enfance, son éducation protestante l'avait familiarisé avec les Écritures ; plus particulièrement, dans sa maturité, il était demeuré un lecteur attentif et fervent des Évangiles, d'où il avait tiré une conscience aiguë de la présence du Malin. « Il est curieux de voir l'espèce de pudeur que le catholicisme et surtout le protestantisme éprouvent à parler du diable, fit-il remarquer à Schlumberger. On l'escamote : on lui prête une sorte d'existence négative ; il est une ombre où la lumière de Dieu ne parvient pas. Mais ce n'est pas du tout cela dans l'Évangile. Le Diable y a l'existence la plus personnelle, il y est même plus caractérisé que Dieu. » Puis, il ajouta encore une remarque sur « l'asservissement au Diable, la manière dont il force ses esclaves à lui recruter de nouveaux sujets ; de là, le besoin de pervertir, de trouver des complices [2] ».

En 1916, une intense crise religieuse l'amena au bord de la conversion au catholicisme. De longs passages de son *Journal* reflètent cette lutte (bien résumée par Sheridan) ; Gide revient constamment sur Dieu et le Diable ; il remâche de façon obsessionnelle le thème du péché et de sa propre culpabilité, avec de fréquentes références, à peine voilées, à la masturbation et à ses efforts pour résister à cette tentation-là (il avait quarante-huit ans !) :

« Hier soir, j'ai cédé ; comme on cède à l'enfant obstiné — "pour avoir la paix". Prix lugubre ; assombrissement de tout le ciel [...]. Nuit exécrable. Je retombe aussi bas que jamais [...]. Depuis samedi, m'assaillent à nouveau d'abominables imaginations contre lesquelles je reste sans armes ; je ne trouve refuge nulle part. Certains

1. Martin, p. 18-19.
2. Schlum., p. 75.

moments, certaines heures, je doute si je ne deviens pas fou ; tout en moi cède à la manie. Pourtant je cherche à organiser la lutte [...]. Je me lève avec un horrible dégoût de tout et de moi-même. J'allais si bien hier ! [...] Hier, rechute abominable. Ce matin [...] je me lève [...], la tête et le cœur lourds et vides, pleins de tout le poids de l'enfer... Je suis le noyé qui perd courage et ne se défend plus que faiblement [...]. Si du moins je pouvais raconter ce drame : peindre Satan, après qu'il a pris possession d'un être, se servant de lui, agissant par lui sur autrui [...]. Moi-même je ne comprends cela que depuis peu : on n'est pas seulement prisonnier ; le mal actif exige de vous une activité retournée [...]. La grande erreur, c'est de se faire du diable une image romanesque. C'est ce qui fait que j'ai mis tant de temps à le reconnaître [...]. Il est divers autant que l'homme même [...]. Il s'est fait classique avec moi, quand il l'a fallu pour me prendre, et parce qu'il savait qu'un certain équilibre heureux, je ne l'assimilerais pas volontiers au mal. Je ne comprenais pas qu'un certain équilibre pouvait être maintenu, quelque temps du moins, dans le pire. »

Et, durant toute cette période, comme le souligne Sheridan, Gide s'adresse à Dieu comme le ferait un chrétien qui croit mais lutte contre le doute :

« Lente diminution de la ferveur. Hier rechute abominable, qui me laisse le corps et l'esprit dans un état voisin du désespoir, du suicide, de la folie... Hélas ! vous avez pris pitié de moi malgré moi-même, Seigneur... Mais alors tendez-moi la main. Conduisez-moi vous-même jusqu'à ce lieu, près de vous, que je ne puis atteindre... Seigneur ! vous le savez, je renonce à avoir raison contre personne. Qu'importe que ce soit pour échapper à la soumission au péché que je me soumette à l'Église ! Je me soumets. Ah ! détachez les liens qui me retiennent. Délivrez-moi du poids épouvantable de ce corps. Ah ! que je vive un peu ! que je respire ! Arrachez-moi du mal. Ne me laissez pas étouffer [1]. »

Finalement, Gide émergea de cette crise, et il rompit avec les amis catholiques (Claudel en particulier) qui s'étaient efforcés, avec plus de zèle que de tact, de l'embarquer dans

---

1. Sheridan, p. 288. Citations du *Journal I*, p. 530, 531, 560, 572 et 573.

l'Église. Pourtant la question religieuse continua à l'obséder — ce qui suscitait d'ailleurs la perplexité de la Petite Dame, pour qui cette préoccupation persistante demeurait totalement incompréhensible — et c'est à juste titre qu'il put répéter dans ses vieux jours ce qu'il avait déjà déclaré précédemment : « Au fond, il n'y a que deux sujets qui me passionnent : la pédérastie et le christianisme [1]. » Mais, vers la fin de sa vie, son intérêt pour la religion acquit une intensité purement négative, qui avait frappé Copeau dès 1930 : « Gide est finalement arrivé à l'athéisme : il le prêche [2]. » Son anti-catholicisme devint obsessionnel et haineux. Schlumberger — qui admirait Gide, et n'était lui-même pas un enfant de chœur — notait en 1947 à l'issue d'une discussion qu'il avait eue avec lui et la Petite Dame : « Je suis chiffonné par le sot anticléricalisme qui règne dans la maison [3]. »

Dans le monde catholique traditionnel, on croyait assez généralement (mais cette opinion n'était pas universelle) que Gide était possédé du Diable. Un jour, durant un dîner de famille, Claudel faisant flamber une crêpe déclara : « Voilà le sort qui attend André Gide dans l'enfer ! » Un témoin de l'incident le rapporta à Gide, qui fut « prodigieusement amusé [4] ». Fréquemment confronté à ce pronostic de damna-

1. *Cahiers III*, p. 303. Cité également par Malraux (avec une légère variante : « ... religion et pédérastie ») dans sa préface au vol. I de *Cahiers*, p. xx. En 1950, moins d'un an avant la mort de Gide, la Petite Dame rappelle à nouveau : « Comme il disait déjà il y a près de cinquante ans, ce qui l'intéresse le plus c'est le christianisme et la pédérastie. Ça reste toujours vrai, ce sont les seules questions où sa pensée reste consistante et combative » (*Cahiers IV*, p. 190).

2. Sheridan, p. 438.

3. Schlum., p. 289 ; également p. 192.

4. *Cahiers II*, p. 437. (Le témoin en question était le fils de Francis Jammes ; le jeune homme, filleul de Claudel, était devenu un fervent admirateur de Gide.)

Notons toutefois que, dans le camp catholique, il n'y avait pas unanimité sur ce sujet. Georges Bernanos, par exemple, se dissociait de ces anathèmes : « Je ne saurais partager la conviction un peu trop sommaire de Paul Claudel ou de Henri Massis, qui le croient possédé du diable. » Quand Gide fut attaqué par les inquisiteurs staliniens, Bernanos scandalisa une fois de plus les bien-pensants de tous bords en prenant sa défense : « Presque tout me sépare de M. Gide... Mais

tion éternelle, il aurait pu faire sienne la réplique que La Fontaine opposait en son temps à de semblables malédictions : « Je suis convaincu que les damnés finissent par être en enfer comme poissons dans l'eau [1]. »

Le camp catholique n'avait évidemment pas une vue

M. Gide est un homme seul. Je suis, comme M. Gide, un homme seul. » Et il n'hésita pas à saluer publiquement le mérite littéraire d' « un grand écrivain — l'un des plus grands de notre littérature — et qui honore notre langue ». En même temps, il réservait ses traits les plus barbelés à l'adresse de son coreligionnaire Claudel : « J'avouerais volontiers que la disproportion de l'homme à l'œuvre, de l'héritier spirituel de Rimbaud à ce Champenois roublard qui ajoute chaque année un galon de plus à sa casquette, donne l'idée de je ne sais quelle truculente imposture » (voir J. Bothorel, *Bernanos, le mal-pensant*, Grasset, Paris, 1998, p. 118, 161).

Sur ce même sujet, les nombreux commentaires de François Mauriac présentent un intérêt tout particulier. Sa position était plus complexe : à la différence de Bernanos, il connaissait Gide personnellement, et, à la différence de Claudel, il conserva toujours de l'affection pour lui, affection doublée d'une compréhension et d'une sympathie spéciales (les inclinations de Gide ne lui étaient pas entièrement étrangères). Mais ses vues sont troublantes : « J'ai eu au cours de ma vie non certes la preuve, mais l'impression que le Mal était réellement et substantiellement quelqu'un. Des hommes que je savais être de grands pécheurs ne me donnaient à aucun moment l'idée qu'ils pouvaient être possédés, alors que chez d'autres, d'une vie en apparence moins dissolue, j'avais le sentiment d'une présence. Certaines vies que j'ai pu observer durant un assez long intervalle de temps, m'ont paru comme baignées d'une lueur singulière et trouble [...]. C'est un fait que des êtres ont eu à se débattre toute leur vie contre une présence qu'ils n'hésitaient pas à désigner eux-mêmes. Je ne citerai que l'un d'eux puisqu'il en a parlé publiquement et à maintes reprises : André Gide, dont l'exemple saisit d'autant plus qu'à la fin de sa vie il n'y avait aucune apparence qu'il pût parler du démon sans rire. Il semble bien, pourtant, à certaines époques, n'avoir pas douté sinon d'en être possédé, du moins d'avoir eu affaire directement à lui. » Et Mauriac cite deux passages ; le premier est extrait de *Si le grain ne meurt* : « Enfin, il m'est récemment apparu qu'un acteur important, le diable, avait bien pu prendre part au drame. Je raconterai néanmoins ce drame sans faire intervenir d'abord celui que je n'identifiai que longtemps plus tard. » Le second provient du *Journal des faux-monnayeurs* : « Je sens en moi, certains jours, un tel envahissement du mal qu'il me semble déjà que le mauvais prince y procède à un établissement de l'enfer » (F. Mauriac, *Œuvres autobiographiques*, « La Pléiade », Gallimard, Paris, 1990, « Ce que je crois », chap. VII, p. 608-609).

1. *Cahiers II*, p. 432. Curtius, son ami allemand, lui cita ce mot (qu'il ne connaissait pas) pour décrire sa situation en Allemagne après l'accession de Hitler au pouvoir.

impartiale sur la question ; mais en revanche, on ne saurait ignorer le témoignage d'un homme comme Schlumberger, proche compagnon, loyal ami de toute une vie, et qui partageait non seulement la philosophie de Gide, mais aussi ses mœurs. Il put observer de très près la fin de Gide — et il fut horrifié : « Il m'a bien fallu regarder la sénilité dans ce qu'elle a de plus perfide : un vieillissement qui, laissant l'intelligence à peu près intacte, ne fait que mieux apparaître le désordre du comportement [...]. Le vieillard relevait d'une grave défaillance cardiaque ; recommençant à peine à sortir de son lit, il n'avait ni la force ni l'occasion de laisser devant moi ses démons se manifester, mais je sentais son entourage obsédé par leur ombre sordide. Et quels récits m'ont été faits depuis lors !... [...] Quant à la perte de tout contrôle sur l'érotisme, elle jette dans l'effroi et pour un peu donnerait raison à ceux qui voient dans la chair le royaume du Prince des Ténèbres [1]... »

Après sa mort, on ensevelit Gide près de sa femme, à Cuverville, le village où était située leur propriété de campagne. La cérémonie fut simple ; seuls des parents, des amis intimes et quelques villageois y participèrent. Le neveu de Gide, qui était un notable local, avait jugé bon d'inviter un pasteur protestant à prononcer quelques mots. Le pasteur se borna à lire un court passage de *Numquid et tu*, que Gide avait écrit quarante ans plus tôt, alors qu'il se trouvait au point le plus intense de sa crise religieuse : « Seigneur, je viens à vous comme un enfant ; comme l'enfant que vous voulez que je devienne, comme l'enfant que devient celui qui s'abandonne à vous. Je résigne tout ce qui faisait mon orgueil et qui, près de vous, ferait ma honte. J'écoute et vous soumets mon cœur [2]. » Immédiatement après la cérémonie, Martin du

---

1. Schlum., p. 15-16.
2. « *Numquid et tu* », *Journal I*, p. 588. Description de l'incident *in* Schlum., p. 345, et Sheridan, p. 617-618.

Gard et Schlumberger protestèrent avec véhémence contre cette intrusion religieuse qui leur paraissait trahir les intentions de Gide, nier ses convictions clairement exprimées et violer ses dernières volontés. Ils avaient raison, bien sûr. Et pourtant, l'intervention du malheureux pasteur, pour indiscrète qu'elle eût été, n'en fut pas moins poignante : après tout, ces paroles étaient vraiment de Gide, et c'étaient aussi des paroles de Vérité. L'enfer n'est pas « la vérité saisie trop tard », comme le disait Hobbes; au contraire, c'est la vérité saisie trop tôt — et rejetée en pleine connaissance de cause.

DIALOGUE

« En dehors de la faculté de sympathie (qui est toute mon intelligence), il me semble que je n'existe pas et que ma personnalité morale se réduit à des possibilités diverses qui, tour à tour, s'appellent Ménalque, Alissa, Lafcadio » : Gide écrivait cela à un ami — il se connaissait bien [1].

Son besoin instinctif de sympathiser était lui-même le symptôme d'un autre besoin, plus profond : le besoin de plaire. Il en avait pris conscience dès sa jeunesse; à l'âge de vingt-quatre ans il notait dans son *Journal* : « Ma question perpétuelle (et c'est une obsession maladive) : Suis-je aimable [2] ? » Et cinquante-cinq ans plus tard, vers la fin de sa carrière, il concluait dans ce même *Journal* : « Un extraordinaire, un insatiable besoin d'aimer et d'être aimé, je crois que c'est cela qui a dominé ma vie, qui m'a poussé à écrire [3]. »

1. Lettre à François-Paul Alibert, citée par Schlumberger *in Madeleine et André Gide*, Gallimard, Paris, 1956, p. 171. (Ménalque, Alissa et Lafcadio sont des personnages de ses livres — respectivement : *Les nourritures terrestres, La porte étroite* et *Les caves du Vatican*.)
2. *Journal I*, p. 37 (3 juin 1893).
3. *Journal II*, p. 1066 (3 septembre 1948).

« Gide cherchait à charmer. À mon avis, il y réussissait [1] », observe Béatrix Beck. La Petite Dame devait souvent le mettre en garde contre ses effusions excessives ; par exemple, comme il avait finalement réussi à établir un rapport plus agréable avec une personne qui lui avait été hostile [2], elle conseilla : « Attention à ne rien gâter, tout semble avoir été si bien, si naturel, ne vous laissez pas aller à exagérer, comme il vous arrive [...]. Un certain élan de votre sensibilité vous entraîne et vous amène à dire des choses qui ne sont vraies qu'un instant, mais c'est souvent le moyen de décevoir affreusement après. » Et un peu plus tard, la Petite Dame note encore : « En amitié, il est capable d'une infinie patience pour préserver la bonne entente qui lui paraît la chose la plus importante, *bien plus précieuse que d'avoir raison* [3]. »

Gide était lui-même très conscient de ce problème : « Je n'épouse que trop le point de vue des autres [4]. » Même dans les échanges familiers, il reculait instinctivement devant la contradiction et s'efforçait à tout prix d'assurer l'harmonie. Voyez par exemple ce petit incident typique qu'il rapporte dans son *Journal* : « J'accompagne Valéry au conseil de la Radio et prends place à côté de lui autour de la table verte. Le nom de l'*Iliade* venant à être prononcé, Paul se penche vers moi et, à voix basse : "Connais-tu rien de plus embêtant que l'*Iliade* ?" Maîtrisant un sursaut de protestation, je trouve... plus amical de répondre : "Oui : *La Chanson de Roland*" ; ce qui le fait acquiescer aussitôt [5]. »

Ainsi l'accord a été sauvegardé — mais à quel prix ! Gide a instinctivement réprimé sa propre opinion — une opinion à

1. Beck, p. 167.
2. Hélène, la femme névrosée et agressive de Roger Martin du Gard. Elle avait une telle horreur de Gide que, parfois, son seul voisinage la rendait physiquement malade.
3. *Cahiers III*, p. 49-50, 58.
4. *Cahiers IV*, p. 119.
5. *Journal I*, p. 1325.

laquelle il tenait, car nous savons par ailleurs combien il aimait Homère : dans ce même *Journal*, en effet, il venait de noter peu auparavant : « Relu avec ravissement les derniers chants de l'*Iliade*... Quelle férocité ! Mais la beauté revêt sans cesse et semble sanctifier la cruauté, l'horreur [1]... »

On pourrait mentionner de nombreux exemples similaires. Ainsi, la Petite Dame note (en 1937) que Gide bavardant avec l'universitaire allemand E. R. Curtius, se mit à l'unisson de son ami pour exprimer sa « grande admiration » pour le *Joseph* de Thomas Mann [2]. Toutefois, nous découvrons par ailleurs dans son *Journal* que, deux ans plus tard, il peinait toujours sur ce même livre, dont la lecture lui inspirait « un ennui grandissant [3] ».

Il a avoué : « Plutôt que de sentir une opposition, je préfère adopter l'avis d'autrui [4]. » Parfois il mettait un tel empressement à se ranger à l'opinion de son interlocuteur que celui-ci en était tout désarçonné. Schlumberger venait de critiquer durement un nouveau manuscrit de Gide que celui-ci venait de lui lire ; à sa surprise, « aussitôt Gide abonde dans mon sens [...]. Je suis un peu effrayé de lui voir tout laisser tomber avec si peu de résistance [5] ».

Gide lui-même ne laissait pas d'être troublé par cette réaction instinctive qu'il se connaissait trop bien : « Je me fais souvent l'effet d'être un affreux hypocrite, par un besoin suraigu de sympathie ; je me fonds en autrui. Très sincèrement j'adopte le point de vue des autres, je donne le change. Je décevrais certainement mon parti, si j'en avais un [6]. »

Il souffrait de son incapacité à dire non. Il souhaitait rompre avec ses amis catholiques, mais se trouvait inex-

1. *Journal I*, p. 1271.
2. *Cahiers III*, p. 38.
3. *Journal II*, p. 663.
4. *Cahiers IV*, p. 17.
5. Schlum., p. 187, 188.
6. *Cahiers I*, p. 31.

tricablement pris aux rets de leur affection attentionnée. Comme la Petite Dame lui reprochait son irrésolution, il laissa son exaspération éclater devant elle : « Comprenez donc que je suis plein de faiblesse, que je suis sans résistance vis-à-vis d'autrui, sans résistance devant la sympathie. Je sens que les gens de ce parti me coupent mes moyens, m'enlèvent mes arguments, m'empêchent de dire ce que je veux dire. Je n'ai de liberté, de hardiesse que devant le papier blanc[1]. »

Les mots écrits constituaient l'ultime refuge de sa sincérité : « Je me rends compte peu à peu que je mets toute mon honnêteté dans mes écrits et que devant la plupart des êtres, j'ai surtout envie que ça aille bien et de plaire, sans doute. Il y a là évidemment une certaine coquetterie[2]. »

Le désir de plaire, la constante crainte de décevoir l'attente d'autrui le rendaient anxieux et tendu : « Je fume trop, par nervosité ; il y a si peu de gens avec lesquels je puisse être tout à fait naturel. Je suis toujours trop tendu, alors je fume par contenance, par agitation[3]. » Il était simple et sans prétention, mais aussi horriblement gauche. Cependant le dialogue demeurait pour lui l'essence même de l'expérience humaine ; il faisait la conquête de ses interlocuteurs pas seulement par ses façons modestes, mais surtout en se montrant un auditeur attentif.

Quand il avait écrit une page faible, ou commis quelque erreur, il étonnait ses amis par la bonne grâce et l'humilité avec lesquelles il acceptait leurs remontrances, si directes et brutales qu'elles pussent être. Toutefois, à chaque coup, ses critiques découvraient que, s'il avait plié sous leurs attaques et adopté leurs suggestions, c'était afin de réparer les failles de sa position originelle, qu'il revenait bientôt leur présenter, mais cette fois sous une forme devenue invulnérable.

1. *Cahiers I*, p. 408.
2. *Cahiers III*, p. 111.
3. *Cahiers II*, p. 17.

Sa réceptivité et sa malléabilité étaient donc trompeuses — et il était le premier à le reconnaître : « On "m'a" très facilement par sympathie... Dans le temps, je m'en expliquais avec Claudel : "Je suis de caoutchouc, lui disais-je. Méfiez-vous de moi : j'acquiesce autant que je peux et vais jusqu'au bord de l'insincérité ; mais ne prenez pas le change : sitôt seul, je reprends ma forme [1]." »

Mais le paradoxe est que, au niveau le plus profond, il demeurait parfaitement aveugle au point de vue d'autrui, et radicalement incapable de percevoir des évidences criantes qu'il avait eues toute sa vie à ses côtés. La façon dont il a traité sa femme représente l'exemple le plus tragique de cette incroyable insensibilité : il a réussi finalement à s'aliéner de façon irréparable la confiance de la seule personne qu'il eût jamais vraiment aimée.

HERBART

Les ennemis de Gide ont répandu de son vivant de nombreuses calomnies à son sujet. On peut les ignorer — et d'ailleurs elles pâlissent en comparaison des vérités que ses amis ont révélées après sa mort.

Dans sa plaquette *À la recherche d'André Gide* (1952), Pierre Herbart a laissé le plus pénétrant de tous les portraits psychologiques de Gide. Herbart (1904-1974) était le mari de la mère de sa fille (les lecteurs qui auraient du mal à débrouiller ce petit rébus n'ont qu'à se reporter plus haut à la rubrique CATHERINE ; un diagramme des relations à l'intérieur de la « famille » gidienne présenterait une complexité égale à celle des liens de parenté entre les chimpanzés du zoo).

Herbart était issu d'un milieu bourgeois du nord de la

1. *Journal II*, p. 825.

France, mais avait été confronté tout jeune à une situation familiale peu banale. Après seize ans d'une vie conjugale apparemment paisible, son père était parti un beau matin, sans un sou en poche : il devint clochard et disparut. Quelques années plus tard, la police demanda à son fils, qui n'était encore qu'un adolescent, d'identifier le cadavre d'un vagabond qu'on avait trouvé gisant dans un fossé.

La Petite Dame se prit peu à peu d'une affection particulière pour son beau-fils, et elle en fit un bref portrait [1] : Pierre était énigmatique et séduisant, capricieux et imprévisible, nerveux et indolent (« divinement paresseux », disait-elle, tandis que Béatrice Beck le trouvait « simplement paresseux » — mais elle le regardait d'un œil moins indulgent), violent et tendre, dur et attentionné, cynique et généreux. Les femmes le trouvaient irrésistible. Certains hommes également. Pas tous cependant : Gaston Gallimard, qui eut à lui confier divers travaux, le tenait pour « une putain [2] ».

Gide fit la connaissance du jeune homme (il avait vingt-trois ans à l'époque) dans la maison de campagne de Cocteau. Herbart était alors opiomane, ensuite il deviendra alcoolique. Gide fut très frappé de son élégance naturelle : « C'est un être évidemment irrésistible [...]. Je le crois doué, comment dire, je crois qu'il a une manière de génie démoniaque [...]. C'est un être frénétique, il a tout le charme de l'enfer [3]. » Pour l'aider à surmonter sa toxicomanie et son alcoolisme, Gide l'encouragea à écrire et finalement persuada Gallimard de publier son premier roman. Puis il lui fit rencontrer la mère de sa fille ; ils devinrent bientôt amants, et se marièrent quelques années plus tard : Herbart avait alors vingt-huit ans, et Élisabeth Van Rysselberghe, quarante et un. Durant les années trente, Herbart sympathisa avec le communisme et

---

1. Voir M. Saint-Clair, *Il y a quarante ans*, « Galerie privée », p. 169-171.
2. Schlum., p. 369.
3. *Cahiers II*, p. 150, 152-153, 156

devint un ardent propagandiste de l'Union soviétique; c'est sous son influence que Gide se joignit à la fraternité des « compagnons de route ». Ils voyagèrent ensemble en URSS, et partagèrent la même désillusion. Après la guerre, Gide, qui ne pouvait supporter la solitude, se sentit de moins en moins capable de se passer de sa compagnie : Herbart lui servait tout à la fois de confident, de secrétaire, d'agent, de conseiller, de factotum, et à l'occasion aussi de chauffeur. Avec lui, le vieil homme savait qu'il ne s'ennuierait pas — et la présence de son cadet lui devint indispensable.

Herbart était doué d'une profonde intuition psychologique; il se dévouait au service de Gide qui, à plusieurs reprises, lui apporta son généreux soutien financier. Il connaissait Gide d'une façon quotidienne et familière, à un degré d'intimité que n'aurait pu atteindre nul autre ami.

Le noyau central du cénacle gidien était composé de la Petite Dame, de Herbart et de Roger Martin du Gard; un jour, en août 1940, comme le trio se trouvait à bavarder, Herbart confia à ses amis un premier aperçu des conclusions originales auxquelles il était parvenu à propos de Gide. La Petite Dame enregistra cet échange :

« Je veux répéter dans ses grandes lignes une conversation que nous eûmes un matin, Martin, Pierre et moi, et qui a amené Pierre à dire de Gide une chose assez curieuse. Nous parlions de la pitié, la pitié symbole du christianisme; on se demandait si, comme semble vouloir le faire Hitler, on peut édifier un monde nouveau dont elle serait absente. Pierre dit oui, Martin non; on cherche où était la pitié dans le monde antique, ou si elle est un apport purement chrétien; si c'est un ressort dans l'art, etc., et brusquement Pierre dit : "Je vais parler contre moi, mais il me semble que ce sentiment-là est ce qui manque dans l'œuvre de Gide; s'il avait cela aussi, il serait pour moi le plus grand, tandis qu'ainsi il n'est qu'un des grands." Avec un sourire un peu malicieux, Martin dit : "La pitié lui manque-t-elle aussi dans la vie ?" Pierre et moi disons en même temps · "Ceci est une affaire beaucoup plus complexe." »

Pierre poursuivant son idée continue : "Je donne de ce manque une explication qui va vous paraître bien plate. Je crois que chez-Gide cela tient à un manque de virilité." La question devenant un peu délicate, redoutant que Pierre ne s'explique pas jusqu'au bout, je dis : "Étant donné Gide, il est bien difficile de ne pas poser avec précision la question sexuelle. — Oui, justement, dit Pierre, je crois que la sexualité de Gide est restée à un état d'enfance, tandis que sa sensibilité se développait normalement, et que cela a nécessairement de la répercussion dans sa virilité morale." Martin a les sourcils tout relevés et son attention la plus béante. Dommage que cette conversation fût interrompue [1]. »

Douze ans plus tard, dans son *À la recherche d'André Gide* (qui est d'ailleurs dédié à Martin du Gard), Herbart a renoué ce fil brisé. À son avis, la motivation essentielle de Gide avait toujours été de charmer les autres et de s'attirer leur sympathie ; sa seule crainte — qui touchait à l'obsession — était de décevoir leur attente. Ceci le plaçait donc dans une situation de complète dépendance à l'égard d'autrui, l'estime qu'il pouvait avoir de lui-même étant entièrement conditionnée par l'approbation de son entourage. Pareille attitude reflétait son manque de « virilité » et son absence de « moralité ». Inutile de dire que ces deux termes ne doivent pas être entendus ici dans un sens étroit : Herbart était lui-même bisexuel et, dans sa jeunesse, avait mené une vie de gigolo avec une froide insouciance — un comportement sexuel excentrique et des mœurs non conventionnelles n'avaient rien pour le choquer. Toutefois, ce qui l'estomaquait dans le cas de Gide, c'était la monstrueuse inconscience avec laquelle il pouvait, par exemple, se plaindre de l'attitude de son épouse — une femme sainte et abreuvée d'outrages — à qui il reprochait son manque de compréhension : ah ! si seulement elle avait bien voulu l'aider à attirer des petits garçons dans leur mai-

1. *Cahiers III*, p. 187.

son, ses séjours à la campagne auraient bénéficié d'une bien meilleure « hygiène sexuelle »[1]!

Gide est « émasculé », poursuit Herbart : on ne peut se fier ni à sa parole, ni à sa loyauté, ni à sa discrétion. Il est amoral, non par un choix audacieux ou par défi, mais simplement et littéralement, parce que ce sens lui fait défaut. Il peut avoir des répulsions physiques et esthétiques, mais peu de répulsions intellectuelles — et il ne connaît pas la répulsion morale. Son ignorance de la morale est innée et invincible : il n'a pas la moindre idée de ce que peut signifier cette notion[2].

L'univers intérieur de Gide est caractérisé par une extrême pauvreté spirituelle : le domaine des passions humaines lui demeure entièrement fermé. Il n'a guère d'imagination et pas d'idées originales. Chez lui, c'est le style qui fait tout : il ramasse des clichés, et il les « gidifie » — leur conférant une forme qui les rend uniques[3].

Sa principale force réside dans son inlassable curiosité, sa liberté sans limites, son intransigeante poursuite de l'excellence[4]. Mais le sentiment tragique de la vie lui fait entièrement défaut ; il n'a aucune expérience du drame humain. De là provient cet étrange malaise qui affecte souvent les lecteurs sensibles quand ils se plongent dans son œuvre ; et ici Herbart invoque le témoignage de Julien Green — témoignage qui prend un poids singulier, quand on considère tout ce qui aurait dû rapprocher les deux écrivains, en sus de leur amitié personnelle : « Tout à l'heure, feuilleté dans une librairie une réédition du *Journal* de Gide, que je n'ai jamais lu en entier,

---

1. « [Gide dit] à un intime : " Quel rôle admirable ma femme aurait pu jouer auprès de moi, si elle avait voulu ! — Quel rôle ? — Eh bien, en me laissant attirer, chez nous, des enfants... " » (Herbart, p. 38-39).

2. Herbart, p. 35, 40.

3. Herbart, p. 52-53. Le dernier point est également formulé par Roger Martin du Gard (Martin, p. 121).

4. Herbart, p. 75.

mais la lecture de quelques pages m'a convaincu, une fois de plus, que je ne pourrai jamais aller au bout de ce livre. Pourquoi ? Je ne le sais pas très bien. Il est écrit à ravir et chaque page est pleine jusqu'aux bords d'une grande richesse intellectuelle, mais en même temps qu'il donne tout ce qu'il a à donner, il glace le cœur, et plus on avance dans cette lecture, moins on croit, moins on espère, et je le dis à regret, moins on aime [1]. »

Quand on lit Herbart — aussi bien que Martin du Gard, car ils étaient tous deux les meilleurs amis de Gide [2] — on est pris d'une perplexité : en fin de compte, sur quoi donc reposait leur attachement (qui était indéniable et profond) ? Pas sur son œuvre : dans le petit cercle gidien, il n'y avait pas de disciples ; tant Herbart que Martin du Gard ont déclaré que pas un livre de Gide n'avait exercé d'influence sur eux [3]. Simplement, « c'est l'homme qu'on chérissait en Gide », dit Herbart ; mais déjà il pouvait prédire : « Cette valeur particulière de sa vie, il me semble qu'elle deviendra en partie inintelligible quand les voix se seront tues, de ceux qui peuvent en témoigner [4]. » En effet.

---

1. Julien Green, *Journal 1946-1950* (15 juin 1948), cité *in* Herbart, p. 52.
2. « Je suis certain que ces deux-là sont les amis que Gide préfère » (*Cahiers IV*, p. 145).
3. Herbart, p. 9-10 : « J'appartenais à une génération que *Les nourritures terrestres* touchaient peu. Quant au reste, avec l'outrecuidance de la jeunesse, je considérais que cet écrivain enfonçait des portes ouvertes. » Et Martin, p. 139 : « Car c'est un fait : aucun livre de Gide n'a été pour moi un de ces livres de chevet, sur lesquels on se modèle insensiblement à la suite d'une lente et longue fréquentation. Tolstoï, oui. Tchekhov, Ibsen, George Eliot, oui. Et d'autres aussi. Mais Gide, non. Même pas ses *Nourritures* ; ni même son *Journal*. »
4. Herbart, p. 69-70.

LITTÉRATURE

Gide ne vivait que pour la littérature ; seule la littérature donnait un sens à son existence — elle en était l'objet exclusif [1]. Il aimait la littérature avec une dévotion qui était admirable et touchante. La lecture lui était aussi essentielle que la

1. La musique occupait également une place importante dans sa vie. À certaines époques, il lui arriva de passer plusieurs heures par jour à son piano — et même durant ses fréquents séjours à l'étranger, en Italie ou en Afrique du Nord, il était toujours soucieux de disposer d'un bon piano. Mais il avoua à la Petite Dame qu'il n'était pas naturellement doué pour la musique : « Je ne suis pas tellement musicien que ça ; chez moi, c'est surtout l'artiste qui l'emporte, la pénétration et l'exécution ; le reste j'y arrive par l'intelligence et par la culture plus que par le don. C'est un peu comme une langue que j'aurais bien apprise » (*Cahiers I*, p. 262). C'était surtout Bach et Chopin qui l'inspiraient. En ce qui concerne Chopin, en particulier, il n'était pas satisfait des grandes interprétations de son époque et développa ses propres théories sur le sujet. Ses *Notes sur Chopin*, publiées en 1948, n'ont jamais été rééditées et ne sont malheureusement pas incluses dans le volume de ses *Essais critiques* dans « La Pléiade ».

Il ne semble pas avoir eu de goût original ou spontané pour la peinture : « La peinture ne m'intéressait pas naturellement, l'intérêt que j'y prends est le fait de la culture » (*Cahiers II*, p. 427). Un jour, en apprenant qu'une importante exposition rétrospective de Degas était déjà terminée, il s'écria avec un soulagement naïf : « Allons, tant mieux, il ne faudra pas aller la voir » (*Cahiers III*, p. 14). Ce cri du cœur est révélateur : regarder la peinture était pour lui une obligation culturelle plutôt qu'un plaisir naturel. (L'opposition avec Claudel se retrouve même ici : Claudel, pour qui la musique avait beaucoup compté dans sa jeunesse et son âge mûr, y devint étrangement rétif sur ses vieux jours ; mais la peinture le passionna toute sa vie.) Gide a pourtant écrit un essai sur Poussin (également absent du volume, par ailleurs si précieux, de ses *Essais critiques*). Dans son *Journal*, les références aux peintres sont relativement rares, mais parfois pénétrantes. Celle-ci, par exemple, sur Delacroix : « Du temps que j'admirais encore Delacroix, la lecture de son *Journal* a été une grande déconvenue. Pas plus dans son style que dans son art, il ne parvient à être tout à fait près de lui-même, comme font Baudelaire, Stendhal ou Chopin, qu'il savait pourtant admirer » (*Journal II*, p. 311, 29 septembre 1931). D'autres mentions du *Journal* sont source de frustration aiguë pour le lecteur ; ainsi, par exemple, il note (*Journal I*, p. 119, 18 janvier 1902) avoir rencontré au Louvre Vuillard et Vallotton, mais sans rien nous rapporter de ce qu'ils ont dit, ou de ce qu'ils regardaient ! Alors à quoi bon évoquer cette rencontre ? N'est-ce pas là du pur *name-dropping* ?

114

respiration : c'était tout à la fois un besoin vital et une constante joie. Souvent aussi, il faisait d'elle une célébration de l'amitié, un acte de ferveur qu'il partageait avec les êtres qui lui étaient les plus chers : quand il était à Cuverville avec sa femme, ou avec ses amis à Paris, des soirées entières étaient consacrées à la lecture à haute voix, en commun [1].

Gide était un lecteur déterminé, lent, infatigable et omnivore. Jamais il n'était sans un livre en main, en poche, ou à son chevet. Il lisait pour écrire : tout ce qu'il écrivait, il le tirait de lui-même comme on tire de l'eau d'un puits, et seul un flot ininterrompu de lecture pouvait garantir que le puits ne tarirait pas.

Dans son commerce avec la littérature, en sus des solides fondations dont l'éducation française traditionnelle dotait tous les enfants de la bourgeoisie, il n'était guère équipé que d'une vorace curiosité. Aussi la jouissance que lui donnait la lecture ne fut-elle jamais gauchie par les jeux stériles que pratiquent les professionnels : il ne fréquenta aucune université. Comme Sheridan le relève [2], Gide appartenait à cette espèce en voie de disparition des *common readers*, les simples lecteurs (E. M. Forster, qui l'admirait, se montra très gidien quand il écrivit : « "Étudier" est un mot qui rend un son très solennel. "J'étudie Dante" semble beaucoup plus sérieux que "Je lis Dante", mais en fait ce l'est bien moins. ») À la fin d'un colloque consacré à son cher Montaigne, Gide intervint de façon caractéristique en observant simplement, avec une

---

1. Ils lisaient des classiques, de la poésie, des essais, des romans — en français, mais parfois aussi en anglais. Le registre, vaste et divers, de ces lectures est étonnant. Par exemple, Gide écrivait dans une lettre à Dorothy Bussy (19 novembre 1918) : « Sur les conseils de Mme [Edith] Wharton, nous lisons à voix haute, ma femme et moi, *Two Years Before the Mast*, de Dana... Connaissez-vous cela ? Un peu spécial, mais passionnant » (*Essais critiques*, p. 1202, note 16). Je gage qu'à l'époque, nul autre membre de l'élite littéraire française ne connaissait ne fût-ce que le titre de ce grand classique de la littérature américaine, ou le nom de son auteur...
2. Sheridan, p. 411.

douce ironie, que Montaigne n'aurait probablement pas compris grand-chose aux communications savantes qui venaient d'être prononcées à son sujet.

Il était bon latiniste : depuis son adolescence jusqu'à sa mort, l'*Énéide* demeura sa lecture la plus constante [1]. Il entretenait une affectueuse intimité avec tous les classiques français : Montaigne avant tout, mais aussi, particulièrement, Molière, Bossuet et La Bruyère ; et, bien sûr, Pascal, Racine, La Fontaine ; Diderot et Voltaire ; Stendhal, Balzac, Flaubert ; sur Hugo, ses sentiments étaient partagés : « Parfois exécrable, toujours prodigieux [2]. » Il ignorait Dumas [3].

Mais ce qui le distinguait des lettrés de sa génération, et qui était exceptionnel pour son époque et dans son milieu, c'était son ouverture aux littératures étrangères. Il se débrouillait en allemand, savait un peu l'italien, et piochait sans relâche son anglais. Sa maîtrise des langues étrangères demeura toujours quelque peu incertaine (« Vraiment, pour les langues étrangères, je suis un cas désespéré [4] »), mais il était dévoré d'un impressionnant appétit de découverte et de savoir. Il s'appli-

---

1. Dans sa jeunesse, il nota une série de résolutions pour son perfectionnement personnel (on songe au *Great Gatsby* !), et cette liste comprenait déjà « choisir un auteur ancien et ne lire (mais pieusement) que quelques lignes ; [...] toujours les mêmes : Virgile, Molière, Bach... » (*Journal I*, p. 48 ; 1893). À la fin de sa vie, son amour pour Virgile (et aussi pour les *Métamorphoses* d'Ovide) n'avait fait que croître (voir *Cahiers III*, p. 324, 338). En 1947, durant un voyage en Allemagne, il se trouva pour la première fois sans son volume de l'*Énéide* : il n'eut de cesse qu'il ne s'en fût aussitôt procuré un autre. Vers la même époque, Martin du Gard le décrit : « En ce moment, il traîne tous les jours dans sa poche une petite édition de l'*Énéide*, reliée en veau, et qu'il lit en marchant, s'arrêtant sous les réverbères... » (Martin, *Journal III*, p. 810). L'année de sa mort, dans son tout dernier écrit, *Ainsi soit-il*, il note : « [Mon] inappétence est intellectuelle autant que physique. J'ai grand mal à m'intéresser à ce que je lis. Au bout de vingt pages, le nouveau livre me tombe des mains ; et je reviens à Virgile, qui ne m'offre plus précisément de surprise, mais du moins un constant ravissement » (*Journal II* — édition de 1960 —, p. 1168).
2. *Cahiers I*, p. 50.
3. *Cahiers II*, p. 561 ; *Cahiers III*, p. 166.
4. *Cahiers III*, p. 364.

quait à lire Goethe dans le texte original (un de ses plus grands héros culturels) et il consacra des années de travail ardu à la lecture de Shakespeare, dont il traduisit — non sans mal — *Hamlet*. Chose curieuse, toutefois, il finit par se dégoûter de cette pièce, et de son propre travail : « Non, non, je ne veux plus continuer cette acrobatie, ça m'exaspère [...]. Je ne peux pas m'épater des discours d'Hamlet. Le reproche que je fais à *Hamlet* est du même ordre que celui que je fais au *Misanthrope* ; c'est surtout intelligent, mais cette intelligence extrême n'est pas résorbée en matière d'art. J'aimerais qu'un Anglais me dise pourquoi c'est admirable. Jamais je ne m'y sens devant quelque chose de beau, que j'ai envie de rendre. C'est vague et amphigourique [1]. » En fait, sur Shakespeare, son évolution — qui passe de l'admiration à l'irritation — ressemble étonnamment à celle de Voltaire ; il aboutit finalement à de singulières conclusions : « Quant à moi, je refuse à Shakespeare l'enseignement humain : ses mots les plus sublimes sont d'une parfaite banalité, d'une psychologie toute traditionnelle. J'ai du reste un peu la même impression pour tout l'art dramatique, exception faite de Racine [2]. » Ou encore : « Vraiment, les Anglais ont une façon irritante de louer sans restrictions Shakespeare [3]. » Il trouvait que *As You Like It* était dénué de charme [4]. Immédiatement après la guerre, il eut l'occasion de voir *Richard III* à Paris, joué par l'Old Vic : il avoua n'en avoir pas compris un traître mot [5]. Tout à la fin de sa vie, il assista à une représentation de *King Lear*, interprété par Laurence Olivier ; la Petite Dame rapporte seulement : « Déconvenue totale, chez Gide, quant à la

1. *Cahiers I*, p. 137.
2. *Cahiers II*, p. 43.
3. *Cahiers I*, p. 143.
4. *Cahiers II*, p. 416.
5. *Cahiers III*, p. 364.

pièce, qu'il trouve une des moins bonnes de Shakespeare, sans intérêt psychologique, quasi ennuyeuse [1]. »

Il exprima encore d'autres opinions non moins surprenantes ; par exemple, il estimait que *Erewhon*, de Samuel Butler, était très supérieur au *Gulliver* de Swift, et il ne pouvait d'ailleurs pas comprendre la popularité de ce dernier [2].

Il aimait la poésie de Browning. *Middlemarch*, de George Eliot, suscitait son enthousiasme. Quant à Jane Austen, il trouvait ses romans « extraordinairement réussis, mais manquant un peu d'alcool ». Henry James lui causa une déconvenue : ce n'était qu' « un auteur de salon » et « ses personnages ne vivent que par la tête » — ils n'ont rien en dessous des épaules [3]. *The Ambassadors* l'ennuyait, il ne put finir le livre [4]. Il dévora presque tous les romans de Thomas Hardy ; *The Mayor of Casterbridge* était son préféré [5]. *Ulysse*, de Joyce, « paraît bien inutilement long ; cela restera tout de même une manière de monstre [6]. »

Claudel lui fit découvrir les romans de Conrad, dont la lecture lui donna le désir de rencontrer l'auteur. Il lui rendit plusieurs fois visite en Angleterre et se prit d'une profonde amitié pour lui [7]. Gide aimait *Lord Jim* : « Un des plus beaux

1. *Cahiers IV*, p. 52.
2. *Cahiers I*, p. 202.
3. *Cahiers I*, p. 169 ; *ibid.*, p. 45.
4. *Cahiers IV*, p. 215.
5. *Journal II*, p. 912-913.
6. *Cahiers II*, p. 51.
7. Après sa visite de 1913, Gide dit à Schlumberger : « Je voudrais tant faire quelque chose pour Joseph Conrad. Sa situation est révoltante. Je viens de passer trois jours avec lui et j'éprouve à son égard une très grande affection. Aucun mouvement ne se fait autour de ses livres : il en vit à peine [...]. Quand je songe au succès d'un [Arnold] Bennett en regard de cette pauvreté, je ne peux pas maîtriser mon indignation. Et avec tout cela, Conrad se sent fatigué, usé. " Parfois, m'a-t-il dit, je me promène dans ma chambre sans pouvoir tirer de moi une seule idée. Je n'ai plus rien à dire. " Je voudrais envoyer un cadeau à ses enfants. Avez-vous une idée ? » (Schlum., p. 50-51).
Au cours de ses conversations, par ailleurs très chaleureuses, avec Conrad, Gide ne rencontra qu'un point de friction : la seule mention du nom de Dostoïev-

livres que je connaisse, un des plus tristes aussi, encore qu'un des plus exaltants [1] » ; et il traduisit *Typhon*. Il effectua cette traduction avec un soin infini, mais le résultat est bizarre : le style est du Gide tout pur, avec tous ses maniérismes et ses tics de syntaxe, et le texte est truffé, non pas de bourdes (Gide était trop circonspect et consciencieux pour en commettre) mais d'omissions et d'inexactitudes qui trahissent constamment son manque de familiarité avec la langue de l'original.

Après la mort de Conrad, Gide écrivit un hommage à sa mémoire, court mais chaleureux, concluant : « Nul n'avait plus sauvagement vécu que Conrad ; nul ensuite n'avait soumis la vie à une aussi patiente, consciente et savante transmutation d'art [2]. » Et pourtant, malgré tous les compliments et toute l'amitié qu'il offrit à Conrad, on se demande jusqu'à quel point il réussit vraiment à comprendre l'homme et l'artiste. *Nostromo* l'ennuyait, et il en abandonna la lecture ; de même, il ne put finir *L'agent secret* [3]. Son absence totale d'intérêt pour ces deux ouvrages prophétiques suggère une incompréhension plus profonde encore que son incapacité à apprécier Conrad : elle fait tout simplement douter s'il comprenait vraiment le XXe siècle. Dans ses dernières années, il finit même par réviser son ancienne admiration, et arriva à une triste conclusion : « Pour Conrad, je ne le mets pas tellement haut ; j'ai tellement aimé l'homme que cela m'est pénible à dire [4]. »

La littérature russe tenait une place importante dans ses

---

ski faisait frémir son hôte ; Gide s'en étonna à juste titre (après tout, le premier chapitre de *Under Western Eyes* est du Dostoïveski tout pur !) et eût aimé poursuivre la discussion de façon plus rationnelle, mais ce sujet provoquait la véhémente indignation de Conrad, dont il ne put tirer que de vagues imprécations. (Voir *Essais critiques*, p. 876.)

1. *Essais critiques*, p. 877.
2. *Ibid.*
3. *Journal II*, p. 923 ; *Journal I*, p. 803.
4. *Cahiers II*, p. 107.

lectures ; Dostoïevski par-dessus tout, et aussi Tchekhov. Il n'aimait pas Tolstoï, et ceci lui fournissait souvent un sujet de discussion avec Martin du Gard, dont Tolstoï était le dieu. Il est toujours intéressant d'explorer les aversions d'un artiste ; parfois elles définissent et délimitent sa sensibilité plus nettement que ne pourraient le faire ses prédilections [1] : « Je continue à lire *Guerre et Paix*, et, plus j'avance, plus mon antipathie grandit. Évidemment, tout ce qui est notation directe de la vie est prodigieux. Devant une conversation de Dostoïevski, on se dit à tout moment qu'en nul lieu du monde des hommes ont jamais parlé de cette façon, tandis que chez Tolstoï, on se dit tout le temps : comme c'est vrai ! Mais tout en étant vrai, le dialogue de Tolstoï est presque toujours sans intérêt. Il est truffé de considérations parfaitement absurdes [...]. Tout m'est hostile en lui, jusqu'à cette égalité de lumières qui présente sous un même jour les batailles de Napoléon et la tapisserie de Natacha [2]. » « Chez Tolstoï, la lumière est implacablement égale, il n'a pas d'ombre, il ne vous montre jamais que ce qu'on aurait vu si l'on avait été là. Pour moi, c'est comme si, à côté d'un Rembrandt, à quoi me fait toujours songer Dostoïevski, on mettait un Detaille [3]. » À Martin du Gard : « Vous êtes du côté de Tolstoï. Moi je suis, ou je voudrais être, du côté de Dostoïevski [...]. Tolstoï est un témoin merveilleux. Mais j'avoue qu'il ne me suffit pas. Sa recherche porte toujours sur ce que les êtres ont de plus général, j'ai envie de dire : de plus humain ; sur ce qui, en chacun de nous, est commun à tous. Il me montre ce que je sais déjà, plus ou moins ; ce que, avec un peu d'attention, j'aurais peut-être pu découvrir en moi-même.

1. Gide a lui-même fait cette observation ; remarquant que Du Bos n'aimait pas Balzac, ni Daumier, ni Mozart, il ajouta : « Oui, oui, je vois bien, je commence à comprendre. Ce serait très curieux d'établir ainsi... je ne dis pas les limites, car ce serait un jugement, mais les impossibilités de chacun ; rien ne serait plus révélateur » (*Cahiers I*, p. 347-348).
2. Schlum., p. 142-143.
3. *Cahiers III*, p. 369.

Il ne m'apporte presque pas de *surprise*... Dostoïevski, au contraire, ah, il m'*étonne* sans cesse ! Il me révèle toujours du neuf, de l'insoupçonné, du jamais vu [1] ! »

Gide se tenait au courant — dans une certaine mesure — des développements contemporains de la littérature allemande. Il professait publiquement de l'admiration pour Thomas Mann, mais en privé avouait son ennui : « *Zauberberg* est un livre important, assez magistral, mais le vide-poche que peut être le roman allemand ! on y verse vraiment tout [2] ! » (Ici, sans le vouloir, Gide semble rejoindre Claudel, qui estimait que la *saucisse* était la métaphore clé pour interpréter les diverses expressions de la culture allemande [3].)

Gide suivait de près la vie littéraire française de son époque. D'habitude, les écrivains se montrent facilement féroces les uns envers les autres : rivalités, jalousies, crocs-en-jambe variés ne sont que trop communs parmi eux. Le petit cercle de Gide était cependant remarquablement exempt de ces usages empoisonnés. Les trois amis, Schlumberger, Martin du Gard et Gide lui-même, se lisaient à haute voix leurs nouveaux ouvrages ; ils échangeaient des commentaires critiques avec une franchise qui pouvait parfois être impitoyable et brutale, mais qu'ils acceptaient les uns des autres dans un esprit d'inaltérable amitié [4]. Et, ce qui est encore plus remarquable, les succès de leurs amis leur causaient une joie

1. Martin, p. 38-39.
2. *Cahiers II*, p. 51.
3. « Tout est saucisse en Allemagne, une enveloppe bourrée de choses disparates : la phrase allemande est une saucisse, l'Allemagne politique est une saucisse, les livres de philosophie et de science avec leurs notes et références, saucisses ; Goethe, saucisse ! » (Paul Claudel, *Journal I*, « La Pléiade », Gallimard, Paris, 1968, p. 223).
4. Par exemple, la Petite Dame décrit comment Schlumberger vient lire son nouveau roman à Gide, de façon continue, pendant deux jours ; ces séances sont suivies par les franches critiques de Gide (« Ce livre ne parvient pas à attacher [...] on ne voit pas ce tu as voulu... »). Schlumberger convient que son roman est ennuyeux ; la Petite Dame admire « l'accent si simplement fraternel de cette conversation, dépouillée de toute feinte, de tout amour-propre, rendant un son si

authentique [1]. Bien sûr, Gide pouvait également prendre un plaisir malicieux à la déconfiture publique de son vieil antagoniste Claudel, quand la candidature de ce dernier à l'Académie française fut rejetée en faveur d'un médiocre rival. Non sans drôlerie, il reconnaissait d'ailleurs en privé l'humeur que lui causait l'encombrante carrure du grand poète : « Devant Claudel, je n'ai sentiment que de mes manques ; il me domine ; il me surplombe ; il a plus de base et de surface, plus de santé, d'argent, de génie, de puissance, d'enfants, de foi, etc., que moi. Je ne songe qu'à filer doux [2]. » Gide s'était pourléché devant ce qu'il estimait être une désastreuse représentation du *Soulier de satin* — mais pourtant, en fin de compte, il laissa son amour de la littérature avoir le dernier mot. La Petite Dame a décrit comment, un an avant sa mort, il se présenta un soir à la table du dîner avec un exemplaire de la pièce de Claudel à la main : « Dieu sait pourtant que je n'aime pas ça, mais je viens d'ouvrir le livre au hasard, et je suis tombé sur une scène vraiment admi-

-----

pur » (*Cahiers II*, p. 429). Une autre fois, c'est le tour de Martin du Gard : il lit *Les Thibault* pendant dix jours — parfois au rythme de neuf heures par jour ! De nouveau, les critiques, parfois sévères, sont exprimées et acceptées dans un esprit d'émulation mutuelle, avec la perfection littéraire comme but commun (*Cahiers II*, p. 537-538). Schlumberger et Martin du Gard écrivirent tous deux des lettres très dures à Gide au moment de son engouement pour le communisme stalinien. Gide téléphona aussitôt à Schlumberger pour le remercier de sa franchise, et il montra la lettre de Martin à la Petite Dame, ajoutant : « N'est-ce pas, sa lettre est admirable [...]. Jamais il ne m'en écrivit de meilleure et je sens qu'il a raison sur bien des points » (*Cahiers II*, p. 299).

1. Tout en étant beaucoup plus jeune que Gide, et occupant une position littéraire de moindre importance, Martin du Gard obtint le prix Nobel de littérature dix ans avant son illustre aîné. Quand ils apprirent la nouvelle de son succès, Gide et la Petite Dame furent positivement fous de joie : « Martin, notre Martin a le prix Nobel ! Nous sommes si agités que nous ne savons ni que faire, ni comment nous tenir ! Nous nous réfugions dans la cuisine pour n'éveiller personne et, sans la moindre soif, nous buvons un verre de sirop, par exaltation. C'est tout de même inouï ce qui nous arrive. Cela nous semble si bien, si mérité, mais justement il est si rare que ces choses-là arrivent ! » (*Cahiers III*, p. 48).

2. *Journal I*, p. 805.

122

rable, absolument — il y aurait mauvaise foi à le nier. » Car pour lui, concluait sa vieille amie, « l'excellence d'une chose l'emporte sur toutes les considérations, et comme on aime le voir ainsi ! Je pense à Flaubert qui disait : "L'esthétique, laquelle n'est qu'une justice supérieure [1]..." »

Toute sa vie, il se reprocha d'avoir manqué une fois — brièvement, mais de façon spectaculaire — à cette « justice supérieure », lorsqu'il ignora le manuscrit de la première partie de À la recherche du temps perdu. Il accepta personnellement la responsabilité de cette erreur, bien qu'il semble en fait que la décision de rejeter le chef-d'œuvre du siècle ait incombé à Schlumberger (qui, lui, n'en manifesta jamais vraiment de repentir [2]). En guise de réparation, Gide rédigea finalement en 1921 un essai sur Proust, remarquable par sa générosité et sa finesse de perception [3]. Par ailleurs, la Petite Dame a noté au fil des années les divers commentaires qu'il exprima en privé au sujet de Proust ; ces propos reflètent une curieuse contradiction : l'enthousiasme y alterne avec l'irritation [4].

Dans le monde littéraire, il était très attentif à ses cadets. Ainsi avait-il une sincère affection pour Malraux ; il admirait son intelligence constamment en ébullition, son goût de l'action, sa passion de l'héroïsme, mais il ne le considérait pas

1. *Cahiers IV*, p. 213.
2. Voir Pascal Mercier, préface à Schlum., p. 22.
3. « Billet à Angèle », in *Essais critiques*, p. 289-293.
4. Plongé dans la lecture du *Côté de Guermantes*, Gide s'écrie : « C'est tellement réussi dans son genre que cela me démoralise un peu. Je me fais l'effet d'être d'un sommaire, à côté ! » (*Cahiers I*, p. 71). *Sodome et Gomorrhe*, en revanche, lui déplut : « La conception *homme-femme* de Proust m'a empêché de dormir cette nuit [...]. Bâtir là-dessus tout l'uranisme me révolte » (*Cahiers I*, p. 98). Et *La prisonnière* l'irrita : « C'est exaspérant, cela me paraît comme une parodie de Proust par Proust, et puis le fond de ce livre me semble d'un inintérêt total, et qu'on puisse s'y complaire aussi longuement me paraît un peu diminuant. » Toutefois, il convient que « l'intérêt de *La prisonnière* se relève à la fin du deuxième volume ; du reste, malgré mon impatience, je ne pouvais pas lâcher le livre — c'est tout de même d'une importance considérable dans la littérature : après avoir lu Proust, on n'est plus tout à fait comme avant » (*Cahiers III*, p. 155).

comme un bon écrivain. Il détecta d'emblée le talent exceptionnel de Sartre, avec qui il établit des relations amicales ; il fut toutefois déçu par ses derniers romans. Il célébra les mérites de Simenon (« Peut-être notre plus grand romancier ») à une époque où les lettrés affectaient encore de mépriser cet auteur prolifique et trop célèbre d'ouvrages à succès ; et, ce qui est plus remarquable, il découvrit Henri Michaux. Il eut à cœur de les rencontrer l'un et l'autre (séparément, inutile de le dire : Simenon était fermé à la poésie, et nourrissait pour Michaux tout l'ahurissement goguenard d'un concierge) et leur offrit son amitié. Rétrospectivement, on peut soupçonner aujourd'hui qu'il surestima peut-être un peu les qualités littéraires de Simenon (chez qui il admirait toutes les ressources qui lui faisaient le plus cruellement défaut : l'imagination créatrice, le sentiment de la réalité, l'expérience de la vie [1]) ; quant à Michaux, bien que Gide appréciât la profonde originalité du poète et éprouvât une sympathie croissante pour l'authenticité de l'homme, on peut se demander s'il prit jamais vraiment la pleine mesure de son génie. Néanmoins, vis-à-vis de l'un et de l'autre, il fit preuve d'une indépendance de jugement et d'une générosité peu communes.

Gide pensait que la postérité reconnaîtrait un jour qu'il avait formé avec ses grands contemporains Valéry et Claudel « une même équipe » — non pas simplement du fait qu'ils appartenaient à la même génération, mais plus profondément, parce qu'ils avaient tous trois été « marqués par l'influence plus ou moins secrète de Mallarmé [2] ». En fait, qu'il y eût une affinité littéraire réelle entre les membres de « l'équipe »

---

1. Et pourtant, les limites de Simenon lui échappaient-elles vraiment ? On peut en douter. Un jour qu'ils dînaient ensemble, Simenon lui dit : « La tentation dont je dois me garder le plus, c'est... », il cherche une expression et Gide la lui fournit : « ... de péter plus haut que votre cul. — Exactement », fait Simenon (*Cahiers III*, p. 359).

2. *Journal II*, p. 1057-1058.

paraît douteux; mais l'influence mallarméenne dont se réclamait Gide mérite, elle, que l'on s'y attarde — car, en ce qui le concerne personnellement, elle fut durable et décisive. (Et, en fait, au lieu de sous-titrer sa biographie de Gide *A Life in the Present*, Sheridan aurait pu l'appeler de façon plus appropriée *Le dernier écrivain du XIXe siècle*.)

L'héritage de Mallarmé s'est exprimé chez Gide par la primauté absolue accordée à la forme et au style, éclipsant tout autre souci. Sur ce point, l'esthétique littéraire de Gide n'a jamais varié; dès 1910, dans un essai consacré à Baudelaire, il écrivait déjà : « En art, où l'expression seule importe, les *idées* ne paraissent jeunes qu'un jour [...]. C'est à la perfection de sa forme que Baudelaire doit sa survie. L'artiste la doit-il jamais à rien d'autre[1]? » Avec les années, cette notion acquit une importance toujours plus grande pour lui, et dans ses vieux jours elle devint le principe suprême qui commandait tous ses écrits — provoquant parfois la réprobation de ses intimes, qui ne pouvaient s'empêcher de déplorer la façon dont il se contentait trop facilement d'enfiler des lieux communs, des banalités et des platitudes, du moment qu'il réussissait à les couvrir d'une exquise vêture gidienne[2].

1. « Baudelaire et Monsieur Faguet » in *Essais critiques*, p. 248-249.
2. Critiquant quelques pages de Duhamel, Martin du Gard fut entraîné à étendre ses observations au style de Gide lui-même : « Je songe une fois de plus à ce *danger de savoir bien écrire*, de pouvoir donner à la plus mince, à la plus médiocre pensée — ou fantôme de pensée —, un tour agréable... Cela incite fatalement à prêter une apparence de consistance, de densité, de poids, de particularité, à ce tout-venant de l'esprit, qui ne mérite pas d'être retenu. C'est paraître penser à peu de frais, sans s'en donner la peine, rien que par un travail mécanique de style. Ils s'y trompent eux-mêmes. Que de fois, Gide lui-même...! L'éclat du vernis empêche de voir tout de suite la vulgarité du bois employé; la parure habile et chatoyante des mots, choisis avec recherche et adresse, cache à l'écrivain lui-même l'insignifiance de son propos; et la qualité que les bons faiseurs savent donner à tout ce qu'ils écrivent les entretient dans une illusion néfaste sur la *valeur* de leurs pensées » (Martin, *Journal III*, p. 527-528). Gide avait montré à Martin du Gard le brouillon d'un discours qu'il avait préparé pour la remise du doctorat *honoris causa* que lui avait décerné l'université d'Oxford. Martin trouva le discours « d'une forme très soignée, mais d'une bana-

Durant sa maladie finale, il avait presque renoncé à tout effort de communication ; pourtant, même sur son lit de mort, il s'obstinait encore à corriger les impropriétés de syntaxe et de grammaire dans les propos qu'on lui tenait. La Petite Dame observa : « Il ne laisse plus passer la moindre petite irrégularité de langage, comme si toute son attention se réfugiait là, et cela ne facilite pas beaucoup les échanges [1]. »

Gide avait investi toutes ses ressources dans son style ; il escomptait que celui-ci seul saurait assurer le passage de son œuvre à la postérité. Pour nous, aujourd'hui, il est encore trop tôt pour juger s'il gagnera finalement son pari. Comme on peut bien l'imaginer, Claudel avait une vue pessimiste de ses chances : « André Gide se figure qu'il est simple parce qu'il est plat, et qu'il est classique parce qu'il est blafard. C'est le clair de lune sur un dépôt de mendicité [2]. » Toutefois, même ses amis les plus loyaux finirent par nourrir cer-

---

lité de fond que le style ne dissimule pas. Je le lui ai dit franchement. Il en a convenu, et j'ai bien regretté, pour une fois, ma franchise, car il a aussitôt décidé : " Vous n'avez, parbleu, que trop raison, cher ! Je vais télégraphier demain que j'y renonce, que je n'irai pas ! " Mais je pense qu'il se ravisera. Moi parti, son discours ne lui semblera plus si mauvais, il le relira en se faisant chanter les phrases, en se délectant des subtilités de l'écriture, et il ne résistera pas au plaisir du voyage, à la curiosité de la cérémonie... » Martin avait deviné juste : c'est exactement ce qui arriva. Gide se rendit à Oxford et y prononça son discours élégamment creux (*ibid.*, p. 810-811).

Schlumberger signala un jour à Gide un contresens qu'il avait commis en traduisant des vers de Goethe ; il fut choqué par sa réaction : « [Cette traduction] est celle que j'ai préférée après six essais différents, plus rapprochés de l'allemand, mais qui n'avaient plus aucun rythme. » Et Schlumberger de commenter : « Je note cette phrase parce qu'une fois de plus elle laisse apparaître l'homme prêt à sacrifier le sens à la forme » (Schlum., p. 236).

La Petite Dame résuma son attitude : « Je crois que l'immense importance attachée à la forme le fait un peu se désintéresser du fond » (*Cahiers IV*, p. 16). Auparavant, en lisant son *Journal*, elle s'était interrogée sur les raisons qui lui faisaient noter certaines choses plutôt que d'autres, pourtant plus importantes, et elle émit l'hypothèse qu'il obéissait à des critères purement stylistiques. Gide en convint (*Cahiers III*, p. 361).
1. *Cahiers IV*, p. 233.
2. Paul Claudel, *Journal II*, p. 969

tains doutes sur les vertus réelles de son fameux style Schlumberger, par exemple, remarqua que « dès qu'il parle de certaines choses, Gide tombe dans un style de sacristie » et, après avoir relu *Les caves du Vatican*, il nota : « Je n'avais pas souvenir d'une langue aussi recherchée. Gide essaie de relever la platitude de maints chapitres par une surenchère de mots rares, d'archaïsmes et de contournements syntaxiques. Parfois c'est d'une saveur admirable, mais on finit par se lasser [1]. »

MADELEINE

Deux images différentes de la femme de Gide ont émergé. Des commentaires plus récents l'ont peinte comme une lugubre bigote à l'esprit étroit, qui entravait l'épanouissement de son mari ; mais il faut remarquer que nul de ceux qui expriment pareilles vues n'a eu la chance de rencontrer Madeleine Gide ; tandis que ceux qui la connaissaient personnellement, et tout particulièrement les proches amis d'André Gide, ont livré un témoignage fort différent. Peu après la mort de Gide, Schlumberger se sentit dans l'obligation morale de rétablir la lumière sur l'étrange tragédie de ce couple, et il écrivit un livre dont le titre même, *Madeleine et André Gide*, marque la volonté de rendre à l'épouse une place conforme à la justice. Même la Petite Dame qui, normalement, aurait pu éprouver des sentiments de malaise, voire d'hostilité à son égard, rendit plusieurs fois hommage au rayonnement profond de sa personnalité ; voyez par exemple ce petit portrait qu'elle esquissa d'elle trois ans avant sa mort : « J'ai revu Madeleine Gide. Elle me fit sans effort l'accueil le plus affectueux. Sa vue m'a impressionnée. Je l'ai trouvée très changée : un peu tassée, marchant pénible-

1. Schlum., p. 176, 246-247.

ment avec une canne, les traits comme bouleversés par une constante émotion [...]. Malgré son maintien si discret, elle n'arrive pas à passer inaperçue; trop de sensibilité supérieure émane d'elle [1]. » La Petite Dame ne douta jamais de la sincérité de Gide quand il déclara que Madeleine avait été la seule personne qu'il eût jamais aimée, et elle analysa avec clarté ce que la mort de sa femme avait représenté pour lui — littéralement, la désintégration de son existence : « Il est touché à l'endroit le plus vulnérable de son cœur. La figure principale du jeu de sa vie n'est plus. Il a perdu son contrepoids, la mesure fixe avec quoi il confrontait ses actes, sa vraie tendresse, sa plus grande fidélité; de son dialogue intérieur, l'autre voix s'est tue [2]. » Et son commentaire fait d'ailleurs écho à ce que Gide confessait lui-même : « Depuis qu'elle n'est plus, je n'ai fait que semblant de vivre, sans plus prendre intérêt à rien ni à moi-même, sans appétit, sans goût, ni curiosité, ni désir, et dans un univers désenchanté; sans plus d'espoir que d'en sortir [3]. »

Madeleine était aussi intelligente que sensible; elle avait une vaste culture et un très sûr jugement littéraire. Ainsi, par exemple, bien qu'elle admirât les œuvres de Gide, son admiration n'était jamais aveugle : alors que Gide n'était pas mécontent de sa propre poésie, elle le prévint avec autant de franchise que de justesse que ses vers étaient d'une embarrassante médiocrité. Elle écrivait bien : dans ses lettres et fragments de journaux (dont Schlumberger reproduit de larges extraits) elle fait montre d'une naturelle élégance de style et d'une grande pénétration psychologique.

Gide souffrait d'un problème singulier : il y avait en lui un divorce radical entre l'amour et le désir : il ne pouvait désirer qui il aimait, il ne pouvait aimer qui il désirait — pour lui, ces

---

1. *Cahiers II*, p. 376.
2. *Cahiers III*, p. 78; Sheridan, p. 525.
3. « *Et nunc manet in te* », *Journal II* (édition de 1960), p. 1159, et *Journal I*, p. 1310; également Sheridan, p. 524

deux émotions s'excluaient mutuellement. Dès le début, Madeleine a dû le sentir (après tout, déjà dans ses *Cahiers d'André Walter*, Gide avait clairement confessé : « Je ne te désire pas. Ton corps me gêne, et les possessions charnelles m'épouvantent [1] »). Elle rejeta tout d'abord sa proposition de mariage, pour n'y finalement consentir qu'après de longs atermoiements, et sous la pression de ses supplications obstinées. Elle avait été traumatisée dans son enfance : elle avait été témoin de l'infidélité de sa mère ; en conséquence, le sexe lui inspirait une crainte instinctive et une invincible répulsion. Aussi la perspective de poursuivre avec son cousin André cette pure union des âmes qui avait charmé leurs années d'adolescence put-elle lui paraître attrayante. Gide, pour sa part, avait commencé sa vie conjugale dans un remarquable état d'ignorance, qu'il consolida ensuite en y appliquant le considérable talent qu'il avait pour se mentir à lui-même : au bout de vingt-cinq ans de mariage, il pouvait gravement exposer à Martin du Gard sa théorie selon laquelle ce sont les homosexuels qui font les meilleurs maris : « L'amour que j'ai pour ma femme n'est comparable à aucun autre et je crois que seul un uraniste peut donner à une créature cet amour total, dépouillé de tout désir physique, de tout trouble charnel : l'amour intégral, dans sa pureté sans bornes. Quand je comparais mon ménage à tous ces ménages troublés et misérables que je coudoyais, je me considérais comme un privilégié ; je pensais avoir édifié le temple même de l'amour [2]. » C'est seulement après la mort de Madeleine qu'il s'éveilla enfin de ce songe — dans une certaine mesure — et qu'il commença à entrevoir ce qu'avait pu être le sinistre sort de sa femme :

1. Ceci était adressé à Madeleine, et elle l'avait lu avant d'épouser André. Voir Martin, p. 84.
2. Témoignage recueilli par Martin du Gard (1920), cité par Schlumberger, in *Madeleine et André Gide*, p. 186.

« Je m'étonne aujourd'hui de cette aberration qui m'amenait à croire que, plus mon amour était éthéré, et plus il était digne d'elle — gardant cette naïveté de ne me demander jamais si la contenterait un amour tout désincarné. Que mes désirs charnels s'adressassent à d'autres objets, je ne m'en inquiétais donc guère. Et même, j'arrivais à me persuader confortablement que mieux valait ainsi. Les désirs, pensais-je, sont le propre de l'homme ; il m'était rassurant de ne pas admettre que la femme en pût éprouver de semblables ; ou seulement les femmes de "mauvaise vie". Telle était mon inconscience, il faut bien que j'avoue cette énormité, et qui ne peut trouver d'explication ou d'excuse que dans l'ignorance où m'avait entretenu la vie [...]. Ce n'est que longtemps plus tard que j'ai commencé à comprendre combien cruellement j'avais pu blesser, meurtrir, celle pour qui j'étais prêt à donner ma vie — que lorsque étaient déjà portés, depuis longtemps, avec une atroce inconscience, les blessures les plus intimes et les coups les plus meurtriers. À vrai dire, mon être ne pouvait se développer qu'en la heurtant [1]. »

Quand elle épousa Gide, Madeleine était innocente, mais pas aveugle. Son intuition lui donna très tôt conscience de la nature particulière des inclinations sexuelles de son mari. Selon Gide lui-même, elle acheva cette découverte durant leur voyage de noces en Afrique du Nord. Au cours d'un trajet en chemin de fer, elle fut témoin de ses tentatives furtives et frénétiques pour caresser quelques petits garçons demi-nus qui étaient dans leur train, et ce même soir elle lui dit d'un ton où l'on sentait plus de tristesse que de blâme : « Tu avais l'air ou d'un criminel ou d'un fou [2]. »

Progressivement, mari et femme menèrent chacun une existence séparée. Leur intimité n'était assurée que par le flot ininterrompu de lettres aimantes que Gide continuait à lui adresser quand il était absent — c'est-à-dire la plupart du temps. Gide poursuivait sa vie libre avec ses amis, à Paris et à l'étranger. Madeleine s'était retirée dans la solitude de leur

1. « *Et nunc manet in te* », *op. cit.*, p. 1128-1129 ; Sheridan, p. 525.
2. *Ibid.*, p. 1134.

propriété de campagne, en Normandie. Gide venait y faire d'occasionnelles visites ; comme par le passé, ils partageaient leurs plaisirs littéraires, passant les soirées à se lire l'un à l'autre, à haute voix, leurs auteurs favoris. À son égard, Madeleine n'avait qu'une requête : qu'il s'abstînt, durant ses séjours, d'approcher les enfants du voisinage, pour éviter le scandale (« Je ne pourrais plus sortir de Cuverville... Je ne quitterais plus la propriété... Ailleurs, tout ce que tu voudras... mais pas ici ! pas ici... » ; « Où tu voudras, mais pas à Cuverville. Qu'ici du moins je n'aie pas à rougir » [1].) Gide promettait, mais trouvait cette contrainte insoutenable ; il se plaignait souvent dans son *Journal* de l'atmosphère « suffocante » de Cuverville et de la « mauvaise hygiène sexuelle » qu'il lui fallait y endurer ; il avait le sentiment que cette répression de ses désirs mutilait son inspiration littéraire. Bien souvent il enfreignait furtivement les règlements domestiques, ou encore il avançait la date de son départ et s'échappait à Paris.

C'est alors que survint l'unique tragédie de la vie de Gide. Il tomba amoureux d'un adolescent de seize ans, Marc Allégret. Le père de Marc était un pasteur protestant qui, dans son zèle missionnaire pour évangéliser l'Afrique française, en était venu à négliger le soin de sa propre famille ; en fait, il fut pire que négligent, car tandis qu'il s'occupait de convertir de lointaines tribus païennes, ce pieux imbécile ne trouva rien de mieux que de confier la garde de ses cinq fils à Gide, un vieil ami de la famille, qui aussitôt s'employa avec diligence à les débaucher. (La question fort discutée du mariage des prêtres n'est pas de ma compétence ; mais dans ce débat, il me semble qu'il y a un facteur que l'on oublie de considérer — et c'est le sort souvent lamentable de leur progéniture.)

Avec Marc Allégret, Gide éprouva la première fois de sa vie (il avait quarante-neuf ans !) l'extase et l'agonie de

1. Schlum., p. 178-179, 220.

l'amour ; il découvrit la passion, il découvrit la jalousie ; désir et amour ne firent plus qu'un — cela ne lui était jamais arrivé ! Et d'ailleurs, bien des années plus tard, quand les flammes de ce prodigieux brasier furent retombées, cette liaison laissa derrière elle une sorte d'affection dont la chaleur ne s'éteignit jamais entièrement. Marc lui-même n'était pas homosexuel — en fait Gide le séduisit d'abord en lui promettant de lui procurer sa première maîtresse (« oncle André » tint parole : il présenta Marc à la fille de la Petite Dame, Élisabeth) ; il courut les femmes très activement et fit une carrière de cinéaste (financée tout d'abord par Gide lui-même). Ses films, faciles et superficiels, ont sombré dans l'oubli ; mais son frère cadet, Yves Allégret, qui suivit la même voie, a laissé quelques œuvres qui ont mieux survécu à l'épreuve du temps.

En 1918, passant outre aux supplications de Madeleine (elle avait tout deviné, et sa détresse était d'autant plus vive qu'elle le voyait pervertir un adolescent en trompant la confiance naïve du père de celui-ci), Gide décida d'emmener Marc pour un long séjour en Angleterre. Au retour, toutefois, sa vie avait pris un tournant définitif, mais il ne s'en aperçut pas d'emblée. Ce n'est que quelque temps plus tard, comme il demandait un jour à Madeleine de lui prêter la collection de ses lettres pour vérifier une information, que la foudre le frappa : elle lui révéla que ces lettres n'existaient plus, elle les avait toutes brûlées durant sa récente absence. Ses lettres ! Ce qu'il avait écrit de meilleur ! Le commun trésor de leur vie ! La nouvelle terrassa Gide, il pensa mourir. Il devait le rappeler dans la suite : « Le plus pur de mon existence, le plus pur de mon cœur était là ; jamais je n'avais rien écrit de plus élevé, de plus chaleureux [...]. C'était le journal intime de ma vie, c'était ma vie même dans ce qu'elle avait de plus beau, de plus irremplaçable [...]. Souvent je me disais : quoi que tu deviennes et quoi que tu fasses, l'œuvre immortelle est là ! Et,

brusquement, il n'y avait plus rien : j'étais dépouillé de tout !
Ah, j'imagine ce que peut éprouver le père qui rentre chez
lui, et à qui sa femme vient dire : "Notre enfant n'est plus, je
l'ai tué [1]." » Madeleine lui dit : « Si j'étais catholique, j'entre-
rais au couvent [...]. Je souffrais trop, je devais faire quelque
chose [...]. Je les ai toutes relues avant ; c'est ce que j'avais de
plus précieux [2]... » Dans la plaquette de souvenirs qu'il publia
après la mort de sa femme, Gide poursuivit son récit :
« Durant une pleine semaine, je pleurai ; je pleurai du matin
au soir [...], je pleurai sans arrêt, sans chercher à rien lui dire
que mes larmes, et toujours attendant d'elle un mot, un
geste... Mais elle continuait à s'occuper des mêmes soins de la
maison, comme si de rien n'était, passant et repassant auprès
de moi, indifférente et paraissant ne pas me voir. En vain
espérais-je que la constance de mon chagrin triompherait de
cette apparente insensibilité ; mais non ; et sans doute espé-
rait-elle que ce désespoir où elle me voyait sombrer me ramè-
nerait à Dieu, car elle n'admettait pas d'autre issue [...]. Et
plus je pleurais, plus nous devenions étrangers l'un à l'autre ;
je le sentais amèrement ; et bientôt ce ne fut plus sur mes
lettres détruites que je pleurais, mais sur nous, sur elle, sur
notre amour. Je sentais que je l'avais perdue. Tout en moi
s'effondrait, le passé, le présent, notre avenir [3]. »

Madeleine savait que Gide était pédophile ; cela l'effrayait,
et la faisait souffrir — mais cela n'avait pas affecté ses sentiments pour lui. Après tout, une femme intelligente et ver
tueuse peut bien continuer à aimer son mari, même après
avoir découvert qu'il est kleptomane, ou alcoolique, ou toxi-
comane. Tandis que, avec sa passion pour Marc Allégret,
Gide l'avait trahie, il avait tué leur amour.

1. Témoignage recueilli par Martin du Gard, cité par Schlumberger, in *Madeleine et André Gide*, p. 191-192.
2. Témoignage recueilli par la Petite Dame, cité par Schlumberger, in *op. cit.*,
p. 196-197.
3. « *Et nunc manet in te* », *op cit.*, p. 1148.

Du temps passa. Finalement, le couple reprit son ancien mode de vie, au moins dans ses formes extérieures. Mais Madeleine renonça à tous ces plaisirs de la culture qui avaient autrefois éclairé sa vie ; elle se dévoua exclusivement à d'abrutissantes corvées domestiques et à des activités charitables parmi les pauvres des environs. Elle se rapprocha du catholicisme, mais sans aller jusqu'à se convertir ; sans doute craignit-elle que son mari n'interprétât pareil geste comme une volonté de s'éloigner de lui.

Le cœur même de leur union était mort. Martin du Gard, qui vint passer quelques jours chez eux, laissa cette description : « Je remarque, une fois de plus, leur curieux comportement l'un vis-à-vis de l'autre, cette sorte de politesse attentive, ce mélange de naturel et d'apprêt qu'ils introduisent dans leurs moindres rapports, cet échange empressé de prévenances, l'affabilité, la tendresse de leurs regards, de leurs sourires, de leurs propos ; et en même temps, un fond d'impénétrable froideur, quelque chose comme la basse température dans les profondeurs : l'absence non seulement de ce qui ressemblerait à quelque familiarité conjugale, mais de ce qu'est l'intimité entre deux amis, entre deux compagnons de voyage. Leur amour réciproque — si manifeste soit-il — demeure distant, sublimé, sans communion : c'est l'amour de deux étrangers qui semblent n'être jamais certains de se bien comprendre et qui ne communiquent aucunement dans le secret de leurs cœurs [1]. »

Quelques semaines après la mort de Madeleine (en 1938), Gide rendit visite à Martin, qui nota dans son *Journal* : « Il m'a longtemps entretenu d'elle, de leur passé, ancien et récent. (C'est avec moi, dit-il, qu'il se sent le plus libre de parler d'elle, le plus enclin aux confidences ; et je crois que c'est vrai.) Sans le lui avouer, j'ai été surpris de constater que son regret ne s'aggrave d'aucun sentiment de culpabilité. Nul

1. Martin, p. 61-62

indice de remords. En fait, il ne se sent en rien fautif, ni aucunement responsable du malheur de cette existence sacrifiée. Il pense : "J'étais ainsi. Elle était ainsi. D'où, de grandes souffrances pour nous deux; et cela ne pouvait être autrement [1]." »

PROTÉE

Dans l'*Odyssée* (IV, 351), Protée est un dieu mineur possédant un vaste savoir, et capable de revêtir des apparences diverses pour éluder les questions. La seule méthode pour l'obliger à répondre est de l'immobiliser fermement jusqu'à ce qu'il reprenne sa forme originelle.

Gide a fait de fréquentes références à la figure de Protée, où il semble avoir trouvé une sorte de miroir. Un des passages les plus révélateurs se trouve dans un brouillon qu'il a ensuite écarté, mais dont la Petite Dame sauva ce fragment : « Protée dans sa diverse inconsistance est le moins existant des dieux. Avant le choix, l'être est plus riche; après le choix, il est plus fort [2]. » Et pour lui, la richesse intérieure comptait plus que la force.

RÉALITÉ

Dans un long passage de son *Journal*, Gide développe une série de constatations et d'exemples illustrant une assez singulière observation :

« Je crois qu'un certain sens de la réalité me manque. Je puis être extrêmement sensible au monde extérieur, mais je ne parviens jamais parfaitement à y croire [...]. Je me figure qu'un très savant

1. Martin, p. 131-132.
2. *Cahiers II*, p. 70.

médecin saurait découvrir qu'une "glande à sécrétion interne" quelque "capsule surrénale" ou autre est atrophiée chez moi. Et d'ailleurs je pense que cette glande, si elle existe, fonctionne très inégalement selon les individus. Je crois même que ce sens du monde extérieur varie beaucoup selon les espèces animales [...]. En ouvrant cette porte, tout à coup je me trouverais en face de... par exemple : de la mer... Eh bien! oui, je dirais : c'est bizarre! parce que je sais qu'elle ne devrait pas être là; mais cela c'est du raisonne ment. Je ne me débarrasse pas d'un certain étonnement que les choses soient comme elles sont, et elles seraient tout à coup différentes, il me semble que cela ne m'étonnerait pas beaucoup davantage. Le monde réel me demeure toujours un peu fantastique. [...] Quand je lus *Le Monde comme représentation*, de Schopenhauer, je pensai aussitôt : c'est donc ça! Mais déjà certaine phrase de Flaubert m'avait donné l'éveil [...] : "Si le monde extérieur ne vous apparaît plus que comme une illusion pour la décrire..." Et je ne fais pas de métaphysique. Je me défends d'être mystique [...], c'est autre chose. Je ne m'inquiète pas de savoir si je crois, ou non, au monde extérieur; ce n'est pas non plus une question d'intelligence : *c'est le sentiment de la réalité* que je n'ai pas. Il me semble que nous nous agitons tous dans une parade fantastique et que ce que les autres appellent réalité, que leur monde extérieur, n'a pas beaucoup plus d'existence que le monde des *Faux-monnayeurs* ou des *Thibault* [1]. »

Assurément, les circonstances matérielles de son existence n'avaient pas peu contribué à développer en lui un perpétuel sentiment d'irréalité. En 1935, sous l'influence de son bref engouement sentimental pour le marxisme, il eut une soudaine illumination et s'aperçut pour la toute première fois — à l'âge de soixante-sept ans! — qu'il n'avait jamais su ce que c'est que de devoir travailler pour vivre. Il nota dans son *Journal* : « Je sens aujourd'hui, gravement, péniblement, cette *infériorité* de n'avoir jamais eu à gagner mon pain [2]. » Mais cette découverte tardive ne semble pas avoir retenu son

1. *Journal I*, p. 798-801.
2. *Journal II*, p. 487-488.

attention très longtemps : il n'en fit plus jamais mention dans la suite.

Son attitude à l'égard de l'argent pourrait fournir un autre exemple de cette incertaine perception qu'il avait des choses pratiques : sa ladrerie était notoire — d'innombrables anecdotes illustrent son étrange et sordide obsession d'économie —, mais il existe tout autant d'exemples de son extravagante générosité. Finalement était-il prodigue ou avare ? La masse d'informations contradictoires sur ce sujet ne peut suggérer qu'une seule conclusion : il n'avait tout simplement pas notion de ce qu'est l'argent ; pour lui, l'argent n'avait pas de réalité.

Il arrive fréquemment que des artistes créateurs n'aient qu'un contrôle limité sur les trivialités de l'existence ; souvent, c'est au prix de cette infirmité qu'ils atteignent la concentration requise pour l'exercice de leur art. Mais pareille condition n'est guère favorable au développement d'un fin jugement politique, et pourrait difficilement qualifier des poètes rêveurs ou des romanciers à l'imagination enfiévrée pour analyser lucidement les événements du jour, guider l'opinion publique, ou conseiller les gouvernants.

Gide non seulement se vantait de ne pas lire les journaux — d'où son célèbre mot : « J'appelle journalisme tout ce qui sera moins intéressant demain qu'aujourd'hui [1] » — mais il critiquait sévèrement ses amis qui perdaient leur temps à cette activité futile. Voyez par exemple ce dialogue avec Martin du Gard, enregistré par la Petite Dame :

(GIDE :) « ... Vous lisez beaucoup trop de choses modernes, sans valeur ; vous devriez vous astreindre à lire chaque jour un grand auteur classique : Montaigne, Goethe, La Bruyère, n'importe lequel. Ça établit une distance avec le quotidien, le passager, ça élargit les points de vue. Je vous assure, vous en retireriez le plus grand profit.
— Oui, je sais bien, je crois que vous avez raison, j'ai essayé

1. *Journal I*, p. 720.

souvent, mais cela ne m'alimente pas ou peu, ça ne fournit pas de matière à remarques, à annotations, comme l'élément moderne. — Oui, c'est ça, je vois bien, vous n'arrivez pas à actualiser la pensée des grands auteurs, elle vous paraît lointaine; pour moi, c'est tout le contraire. Quand après avoir avalé la prose des journaux, je rouvre un Diderot, c'est ça qui me paraît actuel [1]. »

Bien sûr, le conseil de Gide est précieux; mais il faut néanmoins remarquer que, sur tous les sujets brûlants de leur époque mouvementée, c'était toujours Martin, simplement équipé de son bon sens et de la lecture des journaux quotidiens, qui se montra capable, à chaque crise, de vraiment comprendre dans quelle sorte de monde ils vivaient, tandis que Gide, avec une naïveté irresponsable, se laissait abominablement berner par les charlatans et les criminels de la politique.

Sa mésaventure la plus notoire survint dans les années trente, lorsqu'il s'abandonna à flirter niaisement avec le communisme stalinien [2]. Sa conversion reposait sur la plus fragile des fondations : pendant un temps il se promena avec un volume du *Capital* dans sa poche. (Il avait emporté une édition en quatre volumes dans un de ses *sex tours* au Maroc, déclarant : « Je m'y plonge avec le plus vif intérêt », mais il semble qu'il n'acheva même pas le premier volume.) En 1931, comme il commençait à parler du Plan quinquennal soviétique « avec grand enthousiasme », Schlumberger observa sarcastiquement : « Vous semblez avoir soudain découvert des choses dont on discute depuis longtemps maintenant. » Sur l'homosexualité (qui, comme toujours, demeurait sa préoccupation majeure), il présuma immédiatement (sans la moindre preuve) que la loi soviétique devait se montrer non seulement « indulgente, mais même favorable, du point de

---

1. *Cahiers II*, p. 531.
2. Bien décrit par Sheridan, p. 445-490. (Les citations qui ne font pas l'objet d'une identification proviennent de Sheridan.)

vue de l'émulation des hommes, comme à Sparte [1] ». Il espérait que les Soviétiques traduiraient *Corydon* : « Il me semble avoir été écrit pour eux. » Et même en 1936, après avoir été confronté aux pénibles réalités de l'intolérance soviétique dans ce domaine particulier, « il déclarait encore à un Ilya Ehrenbourg mi-abasourdi mi-amusé qu'il avait l'intention de parler à Staline de la situation légale des homosexuels en URSS ». Chaque fois qu'il lui venait un doute sur quelque problème spécifique, Staline venait bientôt apporter la solution : « J'ai lu avec le plus grand intérêt le dernier discours de Staline, qui a répondu exactement à mes objections et à mes craintes » ; ou encore : « Le dernier discours de Staline, passionnant de lucidité et de bonne foi, a très précisément répondu à ma question ». Le problème de Trotski, cependant, le troubla un moment, et il confessa avec une candeur désarmante : « Je ne sais vraiment plus que croire. C'était tellement reposant de pouvoir approuver entièrement quelque chose ».

Dès le début, Schlumberger s'était étonné de la légèreté avec laquelle Gide avait effectué sa conversion politique : « Après être resté sans aucune nouvelle documentation sur la Russie, il vient de lire "avec éblouissement" un ou deux livres sur le Plan de cinq ans, et le manque de nuances, de scepticisme avec lesquels sa sympathie se jette dans cette nouvelle direction démontre une fois de plus [son] éternelle adolescence [...]. Mais on est un peu gêné par cet enthousiasme sommaire chez un homme de soixante et un ans et qui a fait preuve de tant de sagesse critique. Tout comme devant le catholicisme, son attitude laisse voir ici un certain manque d'assise [2]. »

Peu après le retentissant désenchantement de Gide à l'égard du communisme, et le prodigieux succès de son *Retour de l'URSS*, Martin du Gard relut le livre. Il en retira une impression défavorable, qu'il décrivit dans son propre *Journal* :

1. *Cahiers II*, p. 204.
2. Schlum., p. 167.

« Le ton de haute généralité, pris par Gide, ne convient qu'à l'égard d'un sujet qu'on domine bien, après en avoir amplement fait le tour. Or on sent à chaque page que ce n'est pas le cas ! Tout compte fait, qu'apporte ce livre ? Une constatation de plus sur l'inexistence de la liberté d'expression, et de la liberté de pensée en Russie. On s'en doutait sans y avoir été. Et la même chose a été dite cent fois, avec des arguments autrement mieux rangés en bataille, autrement plus probants, étayés de faits autrement plus significatifs que ceux que relate Gide. Admirable innocence ! Qui le fait aimer encore davantage. Mais qui ne suffit pas pour le défendre [...]. Que répondre ? Que l'intérêt n'est pas là. Que l'intérêt est dans ce témoignage nouveau de la bonne foi de Gide ? Oui. Mais ça, c'est un point de vue d'hagiographe — ou d'ami ! *Ce livre fera du tort à Gide*. Pas maintenant peut-être ; mais dans l'avenir [1]. »

L'invasion nazie et l'occupation de la France soumirent Gide à sa seconde épreuve historique. Cette fois, heureusement pour lui, il n'eut pas à passer le test en public — la vigilance de son entourage fit en sorte que ses inquiétantes vacillations demeurèrent strictement privées ; mais ses bons amis eurent ample raison de s'alarmer, comme l'attestent les observations quotidiennes de la Petite Dame. Par exemple, en octobre 1940, comme il s'était réfugié dans le midi de la France, il commença à caresser le projet de regagner Paris occupé, afin de relancer la *Nouvelle Revue française* : un jeune officier allemand venait de lui écrire une lettre charmante, qui lui donnait à penser qu'il serait idéalement qualifié pour négocier avec les autorités allemandes ! La Petite Dame dut aussitôt le mettre en garde contre l'imprudence d'un pareil plan [2].

Après l'entrevue Pétain-Hitler qui pava la voie de la collaboration franco-nazie, la Petite Dame fut sidérée par l'atti-

---

1. Roger Martin du Gard, *Journal II*, p. 1208-1209 (27 novembre 1936).
2. *Cahiers III*, p. 198.

tude de Gide : « C'est curieux comme dans ce domaine ses réactions sont peu vives, demeurent flottantes. Des mots comme "Puisque tout de même la partie est perdue, pourquoi se rebiffer ?" lui viennent tout naturellement [1]. »

En novembre 1940, Gide lui annonce qu'il vient de lire avec « un prodigieux intérêt » une page de Renan ; il la lui montre : « Le gouvernement du monde par la raison, s'il doit avoir lieu, paraît mieux approprié au génie de l'Allemagne... » Et il poursuit : « En réfléchissant bien, il me semble que c'est parfois là que j'en arrive. Comprenez-moi bien : certes, de tout mon cœur je souhaite la victoire de l'Angleterre, je ne puis faire autrement, et pourtant il m'arrive de penser que peut-être, pour sortir de l'ornière où le monde semble embourbé, ce n'est pas le meilleur chemin. Qui sait, peut-être faisons-nous tort à Hitler en pensant que son rêve final n'est pas l'harmonie du monde [2] ? »

En 1941, l'indécision, la volatilité et la confusion de ses vues politiques commencèrent à sérieusement inquiéter Martin du Gard : « Notre vieil ami est de moins en moins capable de se diriger lui-même. Il me donne l'impression maintenant d'avoir perdu sa boussole, et d'être ballotté au hasard des vents qui soufflent le plus fort, et de voiles qu'il ne largue plus lui-même. Il y a de l'enfantillage sénile dans tout ça [3]. »

En fin de compte, ce fut un accident qui le sauva : en 1942, il se rendit en Afrique du Nord pour un bref séjour, mais la soudaine évolution des opérations militaires lui coupa la route du retour et il demeura bloqué de l'autre côté de la Méditerranée pour tout le restant de la guerre — à l'abri des problèmes politiques. Une fois seulement, il tenta faiblement de commenter l'actualité, dans un article qu'il publia après la libération de Paris ; ce papier ne devait susciter guère d'intérêt,

1. *Cahiers III*, p. 201.
2. *Cahiers III*, p. 205.
3. Roger Martin du Gard, *Journal III*, p. 404 (16 mai 1941).

mais Schlumberger, qui le lut avant sa publication, fut consterné : « Lieux communs qui ont traîné partout, naïvetés d'un homme qui vit sans contact avec le mouvement des idées. Il y a une phrase malheureuse sur "l'immense et glorieuse Russie" qui semble vouloir faire oublier *Le retour de l'URSS*. [...] Publication impossible sans importantes coupures [1]. »

En 1950, « l'enfantillage sénile » que Martin du Gard avait détecté dix ans plus tôt atteignit des proportions désastreuses. Un jour, par exemple, il accepta au téléphone de signer un manifeste, sans savoir de quoi il était question (il s'agissait en fait de l'admission de la Chine communiste aux Nations unies). Là-dessus le manifeste est attaqué dans les journaux, il lit ces attaques, « l'air de plus en plus éperdu », et gémit : « Je ne comprends absolument rien, je ne sais toujours pas de quoi il est question. » La Petite Dame conclut avec désespoir : « Cette petite histoire est typique de son comportement de plus en plus vague, injustifiable, changeant, illogique ; il est déjà ainsi dans les petites choses de sa vie, alors quand il s'agit du sort de l'Europe ! Il est complètement noyé [2]. »

Ses amis l'aimaient d'une affection dévouée ; néanmoins, quand il mourut enfin, ils poussèrent un soupir de soulagement ; dans un texte encore inédit (il n'en a été publié que des fragments), Schlumberger confesse avec une brutale et éloquente économie de mots : « La chance de Ménalque... Seuls ses intimes peuvent mesurer combien elle a tenu du miracle. Elle l'a comblé de faveurs et d'impunités qui ont été souvent près de le perdre. Contrôle de moins en moins ferme de la conduite. [...] Nous tremblions devant ce que nous réservait demain. La mort exemplaire (honnêtement préparée, mais aidée par un concours d'heureuses circonstances) a tout recouvert de sa nappe majestueuse. Il était temps [3] ! »

1. Schlum., p. 266.
2. *Cahiers IV*, p. 190.
3. Extrait de Schlumberger, *La porte est ouverte*, cité par Paul Mercier dans sa préface, Schlum., p. 16.

SEXUALITÉ

Gide a confessé sa perplexité à plusieurs reprises : « Je sais qu'il me faudra quitter la vie sans avoir rien compris, ou que bien peu, au fonctionnement de mon corps. » Ou encore : « L'âge vient sans que j'espère mieux connaître rien à mon corps [1]. » Un jour, il expliqua à Martin du Gard, avec un détachement objectif, les détails physiologiques de sa sexualité [2]. Il jugeait lui-même que sa constitution était anormale : « un paradoxe physiologique », « un cas pathologique ».

Cependant, une autre fois, il confia également à Martin l'indignation et la détresse que lui causait l'accusation, fréquemment répétée, qu'il corrompait les jeunes : « Pervertir la jeunesse ! Comme si l'initiation à la volupté était, en soi, un acte de perversion ! » Et il expliqua longuement que son rôle était toujours et avant tout celui d'un patient éducateur : « Rien, selon lui, ne peut, dans les troubles années de l'adolescence, remplacer l'influence bienfaisante d'une liaison à la fois charnelle, intellectuelle et morale, avec un aîné digne de confiance et d'amour [3]. » C'est là le thème de *Corydon*, mais cette théorie n'avait guère de pertinence touchant ses propres pratiques, car, en fait, ce qu'il appelait ses « aventures » désignait d'habitude des affaires sordides, brèves et furtives avec des enfants — gosses des rues, grooms d'hôtel, petits mendiants arabes, déshérités divers, achetables et sans défense — dans des conditions qui ne laissaient certainement guère place aux échanges éducatifs ni à l'édification morale.

La Petite Dame a observé : « Je crois qu'on ne saurait trop insister sur la singularité de son tempérament [...] : une sensualité si profonde, si exigeante, si irrésistible, qui gouverne

---

1. *Si le grain ne meurt*, cité in *Cahiers II*, p. 128; *Journal I*, p. 573.
2. Roger Martin du Gard, *Journal II*, p. 232-233.
3. Martin, p. 96-98.

143

une part de sa vie et qui semble parfois comblée si aisément, si légèrement, et qui si rapidement se transpose en exaltation. Cela est trop particulier pour être croyable et il est naturel qu'en général on juge sa dépravation égale à la duplicité où l'entraîne son désir. Et d'autre part, on voit très bien quelles excuses fallacieuses il doit trouver à ses manières insinuantes et hypocrites, quand on pense au côté si invraisemblablement anodin des agissements auxquels elles aboutissent. Ces dispositions sexuelles particulières me semblent une clef importante pour comprendre Gide [1]. »

Mais, en fin de compte, la manière dont il devint esclave de ses impulsions maniaques alarma et affligea même les amis qui, à l'origine, avaient partagé certaines de ses inclinations. Ainsi Schlumberger dut-il finalement conclure : « Gide, préoccupé pendant toute sa vie d'obtenir du respect pour l'homosexualité, n'a finalement abouti, par la nature de ses obsessions, qu'à la faire déconsidérer [2]. »

Et pourtant, quiconque entend demeurer fidèle à cette foi chrétienne qui fut autrefois celle de Gide, et qui continua si longtemps à le hanter, serait bien mal placé pour le stigmatiser au nom de la vertu ; car le fait est que nous appartenons tous à une espèce déchue — d'une façon ou d'une autre, chacun de nous est un infirme, et l'innocence nous échappe. Dans le cas de Gide, le contraste, extrême et tragique, entre, d'une part, la splendeur de sa culture et de son intelligence, la noblesse de son esprit ouvert à toutes les entreprises humanistes et, d'autre part, la grotesque et lugubre tyrannie de ses obsessions, a quelque chose de navrant et devrait susciter la compassion.

1. *Cahiers II*, p. 114.
2. Schlum., p. 368. Sur cette même page, Schlumberger note ce que Mauriac lui avait confié (comme il venait d'achever la lecture du *Gide familier* de Jean Lambert) : « Il faut se résigner à voir en lui un vrai malade, un fou qu'on enferme. Quand il était venu à Malagar, il trouvait toujours le moyen de s'échapper. Nous nous inquiétions, mais pas autant qu'il aurait fallu. » (Comme on l'a déjà souligné plus haut, et contrairement à ce que beaucoup imaginent, Mauriac n'était nullement un ennemi de Gide.)

144

Mais comment pourrait-on témoigner de la compassion à qui en nie farouchement le besoin ? En fait, il faut déplacer la question : car, finalement, le seul problème insoluble n'est pas celui que posait la sexualité de Gide ; il résulte plutôt du tortueux rapport qu'il avait choisi d'établir avec la vérité [1].

VAN RYSSELBERGHE (Maria), dite La Petite Dame

Comme l'indique son surnom familier, Maria Van Rysselberghe (1867-1959) était de très petite taille. Ses divers portraits — peints par son mari, Théo Van Rysselberghe (1862-1926), et aussi par un autre artiste belge, Fernand Khnopff (1851-1921) — respirent une grâce séduisante et pleine de vivacité. Née et éduquée en Belgique, comme Théo lui-même, elle suivit ce dernier en France, où ils s'établirent en 1898. Au début de sa carrière, Théo avait fait preuve d'un talent robuste, peignant dans un style libre et hardi, très semblable à celui de son condisciple James Ensor ; mais dans la suite, sous l'influence de Seurat et de Signac, sa peinture se dessécha et devint une application dogmatique et stérile de la formule pointilliste : les promesses qu'il avait montrées dans sa jeunesse ne furent pas vraiment tenues.

1. L'aveuglement moral de Gide et la capacité qu'il avait à se duper lui-même sidéraient ses intimes. Ainsi, Martin du Gard raconte comment la fille de Gide (elle avait dix-sept ans à l'époque) était devenue l'objet des timides attentions sentimentales d'un de ses anciens professeurs : « L'amusant c'est que Gide *s en indigne*. Il me tient au courant, chaque fois que je le vois, et il est furieux contre le professeur. Ces jours-ci, il m'a dit, tout à fait hors de lui : " Je me retiens à quatre pour ne pas lui écrire : 'Monsieur, je vous prie de cesser d'importuner cette enfant, et je vous interdis de la rencontrer à l'avenir.' Je suis décidé à le faire, si ça continue. *C'est odieux !* " Or, ce bon Gide a passé sa vie à commettre de bien plus graves abus de confiance ! Combien de fois s'est-il introduit dans une famille amie, multipliant les amabilités avec les parents, dans le seul but d'approcher le jeune fils de la maison, parfois un écolier de treize ans, de le rejoindre dans sa chambre, d'éveiller ses curiosités sexuelles, de lui apprendre le plaisir ! Plus malin que le professeur de Catherine, plus diabolique dans ses tentations, plus hardi aussi, combien de fois a-t-il su embobiner les parents, s'assurer la complicité d'un enfant, et se livrer avec lui à des jeux tendres et pervers ? Il ne

Théo aimait sa femme, mais semble avoir été quelque peu abasourdi par les libertés de son comportement. Maria avait une sincère affection pour son mari; elle le considérait comme un bon compagnon, mais sa propre vie sentimentale se développa tranquillement en marge des conventions. Elle refusa toujours de se conformer tant à l'ordre bourgeois qu'au désordre de la bohème.

En 1896, l'espace d'une saison, elle connut un amour fou avec le grand poète Émile Verhaeren. Cette intense passion — partagée mais jamais consommée — devait lui inspirer quarante ans plus tard un court récit, magique comme un rêve et pur comme un diamant (*Il y a quarante ans*). Elle se lia dans la suite avec la femme d'un riche industriel du Luxembourg; et, à l'origine, ce fut pour la distraction privée de son amie qu'elle commença à tenir la chronique journalière de sa vie aux côtés de Gide.

Elle fit la connaissance de Gide, qui était un ami de Théo, à la fin du xixe siècle. Comme elle devait le rappeler plus tard : « La première fois que je l'ai rencontré, il avait une trentaine d'années. On n'imagine pas séduction plus rare, charme plus enveloppant; mais ce qui dans mon souvenir domine toutes les impressions, c'est la profonde originalité de cet être. Sur rien, il ne pensait comme personne; ce qu'il disait ne procédait jamais du paradoxe, mais d'une vision nouvelle [...]. Le plaisir qu'il dispensait ainsi était un véritable envoûtement [1]. »

Au cours des années, Gide et Maria développèrent l'un pour l'autre un attachement singulièrement harmonieux. Leurs personnalités respectives étaient totalement dissemblables, mais ils partageaient la même passion pour la culture,

---

trouvait alors rien d'« odieux » dans le détournement prémédité et poussé aussi loin que possible du jeune garçon, que ses parents confiaient ingénument à l'ami Gide! » (Roger Martin du Gard, *Journal III*, p. 361-362).

1. *Cahiers IV*, p. 253-254.

la même dévorante curiosité pour les livres et les idées. Leur étrange intimité se renforça encore quand Maria, par l'intermédiaire de sa fille Élisabeth, devint la grand-mère de la fille de Gide, à la vive détresse du pauvre Théo, qui n'avait qu'une notion incertaine de l'identité réelle du père de sa petite-fille.

Peu après la mort de Théo, Maria et Gide prirent des dispositions qui leur permirent de passer le restant de leur vie, sinon ensemble, du moins côte à côte. Ils emménagèrent dans deux appartements contigus, jouissant chacun de la compagnie de l'autre, tout en conservant leurs libertés parallèles. Cette situation se maintint jusqu'à la mort de Gide.

Leurs relations présentaient un curieux mélange de cérémonie et d'intimité. Par exemple, Maria nota, sept ans après qu'ils se furent établis sous le même toit : « Gide me dit "Mon vieux" : c'est la première fois que ça lui arrive et il s'en excuse [1]. » Mais finalement, ils devinrent comme beaucoup de vieux couples : indestructiblement unis par une longue habitude tissée de mille petites irritations, sur le canevas d'une affection profonde.

Avec Martin du Gard et Herbart, la Petite Dame formait le triumvirat qui s'efforçait, avec une vigilante sollicitude, de piloter Gide durant la navigation fantasque de ses dernières années. Comme elle était en contact plus étroit avec lui, c'était elle qui jouait le rôle le plus important. Son intelligence, sa culture et son goût très sûr avaient fait d'elle une irremplaçable assistante de Gide, à qui elle servait de conseiller littéraire et de critique avisée. Par-dessus le marché, ses qualités féminines de jugement et de sang-froid la rendaient indispensable pour tout ce qui regardait le règlement des problèmes de la vie quotidienne, auxquels Gide était totalement incapable de faire face. Et même, dans leur vieillesse, avec le tranquille détachement d'une professionnelle, elle lui rendait

1. *Cahiers II*, p. 406.

certains services d'un ordre plus intime, quand elle n'avait pas réussi à lui trouver quelque petit Annamite dans la rue [1]

Sa position privilégiée auprès de Gide la plaçait tout naturellement au centre de la vie littéraire de son époque. Elle réussit cependant à demeurer dans l'ombre. Elle écrivait avec talent, mais elle ne publia qu'un seul petit livre en s'abritant derrière un pseudonyme impénétrable et asexué, dont seuls quelques initiés détenaient la clé. Quant à sa grande œuvre, cette chronique couvrant quelque trente ans des propos et des faits et gestes quotidiens de Gide, elle la poursuivit en secret, à l'intention d'une seule lectrice, et sa publication fut posthume. *Les cahiers de la Petite Dame* sont vraiment un ouvrage exceptionnel, à la fois familier dans sa perspective, et monumental par son envergure. Il y a très peu de grands écrivains sur qui nous disposions d'une information aussi vivante, détaillée et pénétrante : à la différence d'Eckermann, qui était écrasé par son admiration pour Goethe et paralysé par le sentiment de sa propre humilité, et à la différence de Boswell qui, après tout, n'eut pas l'occasion de passer beaucoup de temps avec Johnson, elle vécut aux côtés de Gide durant toute la dernière moitié de sa carrière, et, tout en admirant son génie, elle demeurait parfaitement capable de dialoguer avec lui sur un pied d'égalité. Elle l'observait avec un intérêt inlassable — et peut-être aussi avec une sorte d'amour détaché et dénué d'exigences ; en même temps, elle ne s'aveugla jamais sur ses faiblesses, ses obsessions et ses faux-fuyants. Son témoignage est complet, minutieux, et honnête ; franc, mais discret. Comme elle l'expliqua à Schlumberger, « elle n'a rien altéré de ce qu'elle a su, mais il y a des choses qu'elle

---

1. Béatrix Beck rapporte dans ses souvenirs : « Bien après la mort de Gide, Dominique Drouin [son neveu] m'avait rapporté cette confidence de la Petite Dame : " Je vais lui chercher un petit Annamite, et si je n'en trouve pas, je lui en tiens lieu. " Commentaire de Dominique : " Quand on pense à ces deux squelettes... " Moi qui ai une imagination très visuelle et qui somatise terriblement, j'en ai eu des vomissements » (Beck, p. 161).

a préféré ne pas savoir [1] ». Après la mort de Gide, mettant le point final à son prodigieux journal, elle conclut : « Qu'elle a pu être belle, cette existence à ses côtés ! Si vivante, si pleine, si nourrie ; elle eut aussi ses charges, mais que serait une amitié qui n'en aurait pas ? Je m'arrache de nous douloureusement, et mon âme ici lui rend grâces [2]. »

Mais ce qu'il y a de plus remarquable chez une aussi forte personnalité — et chez une mémorialiste aussi douée —, c'est qu'elle a réussi à effacer presque toutes les traces de son propre passage à travers la vie. À cet égard, dans son invisibilité même, elle a atteint une forme supérieure de liberté ; à la différence de Gide, nul traumatisme psychologique n'avait marqué son enfance, et la morale conventionnelle ne semble jamais l'avoir encombrée d'aucun fardeau ; la célébrité ne la tentait pas ; elle n'avait cure du public ; l'opinion et la postérité lui étaient indifférentes. Béatrix Beck avait raison : dans sa parfaite indépendance, elle fut bien plus gidienne que Gide lui-même [3].

VÉRITÉ

Sheridan a remarqué : « Ce que Gide a hérité de son protestantisme, c'est la haine du mensonge [...]. Son culte de la sincérité n'est pas vraiment français ; sans nul doute, il lui est venu de ses ancêtres huguenots [4]. »

Dès l'enfance, Gide a aimé la vérité. Finalement, il abandonna la foi qui avait éclairé sa jeunesse (cette séparation ne

1. Schlum., p. 346.
2. *Cahiers IV*, p. 252.
3. Béatrix Beck, préface à M. Saint-Clair, *op. cit.*, p. IV. Notons également que dans son bel essai « Rue Vaneau », Kazimierz Brandys a rendu justice à cette figure exceptionnelle (voir *Hôtel d'Alsace et autres adresses*, Gallimard, Paris, 1991, p. 57-108).
4. Sheridan, p. 370, 633.

s'accomplit pas sans revirements douloureux et dramatiques), mais jusqu'à sa mort il conserva un besoin passionné de se justifier.

Le thème du mensonge a constamment hanté son imagination; cela lui paraissait le sujet de tragédie par excellence. Il dit un jour à Schlumberger : « Crois-moi, rien n'est dramatique comme la destruction d'un esprit par le mensonge, que ce soit par l'aveuglement volontaire ou par l'hypocrisie. Et j'aime mieux encore le mensonge à autrui. S'il m'arrivait encore de prier, ce que je demanderais, sans me lasser, c'est : "Mon Dieu, préservez-moi du mensonge[1]!" » Certains personnages de ses romans lui étaient odieux, mais il les connaissait de l'intérieur et les peignait avec une telle intelligence que — à son plus vif déplaisir — des critiques y virent une projection de lui-même. Ainsi, par exemple, Gide commenta le personnage d'Édouard (dans *Les faux-monnayeurs* : on l'a souvent pris pour le porte-parole de l'auteur) : « Édouard est le type de l'impuissant, comme auteur et comme amoureux. Il se ment continuellement à lui-même dans son journal, tout comme faisait le pasteur de *La symphonie pastorale*. C'est le même problème[2]. »

Un jour, son ami le philosophe Groethuysen lui parlait de la psychologie de « l'être louche », qu'il définissait comme « celui qui n'arrive pas non plus à faire du mensonge sa vérité et qui toujours louvoie ». Gide répondit : « Ce serait un type bien amusant à créer, mais on dirait encore que je me peins moi-même[3]! »

L'ayant longtemps observé de près, Herbart conclut : « Le mensonge a pour lui le même attrait que la vérité[4]. » De façon plus subtile, la Petite Dame a identifié l'invisible confusion qui permettait à Gide de combiner les deux vers la fin de

1. Schlum., p. 96.
2. *Ibid.*, p. 150.
3. *Cahiers II*, p. 58.
4. Cité in *Cahiers III*, p. 16.

sa vie : « Sa volonté de sincérité n'a jamais été plus sensible, mais sincérité n'équivaut pas nécessairement à vérité [1]. »

Le malaise (si difficile à décrire, et pourtant si intensément ressenti) que des lecteurs aussi différents que Flannery O'Connor et Julien Green ont pu éprouver à l'égard de Gide (dans l'un et l'autre cas, ce n'était pas la sexualité de Gide qui leur paraissait choquante : Green était homosexuel, et O'Connor était à l'épreuve des chocs), ce malaise découlait d'une source profonde. Saint Augustin — qui fut probablement le premier psychologue moderne — l'a identifiée il y a mille six cents ans : « Les hommes aiment tellement la vérité que, lorsqu'il leur arrive d'aimer quelque chose d'autre, ils veulent que cette autre chose soit la vérité ; et comme ils ne veulent pas qu'on les convainque d'erreur, ils refusent d'être éclairés ; aussi finissent-ils par haïr la vérité, au nom précisément de ce qu'ils se sont mis à aimer à sa place [2]. »

---

1. *Cahiers IV*, p. 204.
2. « *Sic amatur veritas, ut, quicumque aliud amant, hoc quod amant velint esse veritatem, et quia falli nolent, nolunt convinci quod falsi sint. Itaque propter eam rem oderunt veritatem, quam pro veritate amant* » (saint Augustin, *Confessions X*, XXIII, 34)

NOTICE BIBLIOGRAPHIQUE

« Ouvertures », *Le Monde*, 10 novembre 1999.
« L'imitation de notre seigneur Don Quichotte » (rédigé en anglais puis traduit en français par l'auteur), *The New York Review of Books*, 11 juin 1998 ; *Commentaire*, n° 87, automne 1999.
« Victor Hugo » (rédigé en anglais puis traduit en français par l'auteur), *The New York Review of Books*, 17 décembre 1998. Inédit en français.
« Protée : un petit abécédaire d'André Gide » (rédigé en anglais puis traduit en français par l'auteur), *The Australian's Review of Books*, mai et juin 2000 (version abrégée). Inédit en français.

REMERCIEMENTS

Georges Liébert m'a fait l'amitié de relire mon manuscrit avec une patiente attention. La justesse de ses critiques et suggestions m'a enfin permis d'apprécier à sa pleine valeur l'adage fameux de Stephen King, « *to write is human, to edit is divine* » !

Ouvertures   11
L'imitation de notre seigneur Don Quichotte : Cervantès et
    quelques-uns de ses critiques modernes   27
Victor Hugo   45
Protée : un petit abécédaire d'André Gide   69